LA BIBLIOTHÈQUE DU MONDE NOUVEAU

dirigée par

JEAN LÉVESQUE

Une culture
appelée
québécoise

- Maquette de la couverture: JACQUES DESROSIERS
- Maquette et mise en pages: DONALD MORENCY

- Distributeur exclusif:

POUR LE CANADA
AGENCE DE DISTRIBUTION POPULAIRE INC.
1130 est, rue de La Gauchetière, Montréal 132 (523-1600)

 2

LES ÉDITIONS DE L'HOMME LTÉE
TOUS DROITS RÉSERVÉS
Copyright, Ottawa, 1971

Bibliothèque nationale du Québec
Dépôt légal — 4e trimestre 1971
ISBN-0-7759-0319-1

GIUSEPPE TURI

Une culture appelée québécoise

LES ÉDITIONS DE L'HOMME

CANADA: 1130 est, rue de La Gauchetière, Montréal 132

A mon père et à ma mère,
puisqu'ils m'ont donné la vie

SOMMAIRE

Le fédéralisme canadien actuel — A l'élite québécoise
de « faire face » — L'essence de la culture québécoise
— L'avenir de la culture québécoise — Vers la victoire
« finale » des Québécois.

ANNEXE

CHAPITRE I

Du peuple et de l'élite ou des deux éléments fondamentaux de toute culture nationale

« Comme toute république
est composée de grands et de peuple »
Machiavel

La culture est un mot « magique » au Québec: avec elle on résoud tous les problèmes qui se posent chez nous; du moins est-ce ainsi qu'on les résoud « sur le papier ».

Certes la culture est une constante dans l'histoire nationale du Québec. Mais de nos jours, on en parle et on en discute comme jamais auparavant, et ce dans tous les milieux et en toutes circonstances. Est-ce pour des raisons spécifiquement politiques? Ou pour des raisons concrètement économiques? Ou pour des raisons globalement nationales? Ou pour des raisons strictement culturelles? Ou parce que le Québec ne possède pas encore de véritable culture, ou ne la connaît pas, comme il faut, ou n'ose pas l'assumer dans sa totalité? Ou parce que les Québécois n'ont pas encore réussi à « définir » comme il se doit leur culture à eux?

Mais la culture, c'est quoi au juste?

La notion de culture

Il peut y avoir beaucoup, plusieurs, trop de façons de définir, en général, la culture, pour la très simple raison que la culture nous apparaît fort souvent comme une notion combien indéfinissable et insaisissable et très difficile à cerner. Ceci dit, la culture peut être « le besoin du besoin satisfait »

(Hegel), ou « ce qui reste quand on a tout oublié » (Herriot), ou « surtout ce qui consiste à savoir se situer dans le temps et dans l'espace » (Siegfried). Ou encore, comme l'a déjà affirmé Spengler, la culture c'est l'élément vital d'une société humaine, par rapport à son aspect statique ou mort ou décadent que serait la civilisation. D'aucuns, particulièrement les humanistes classiques, par contre, ont cru voir la différence entre la culture et la civilisation dans le fait que la première serait un phénomène spécifiquement spirituel, tandis que la deuxième serait un phénomène spécifiquement technique (c'est ainsi que l'on parle, dans certains milieux, non pas de culture, mais seulement de civilisation américaine). D'autres, qu'il ne convient point de citer, ont voulu faire croire que la civilisation était le contraire de la barbarie. Mais déjà avant Montaigne et Rousseau, on pouvait savoir que les barbares, et les sauvages, vivaient et vivent, parfois, de façon humainement plus intéressante que les « civilisés ».

Si le problème des relations entre la culture et la civilisation est combien intéressant, quelles sont donc ces relations? Il me semble que, contrairement à Spengler et aux autres définitions mentionnées plus haut qui sont plutôt insatisfaisantes ou incomplètes, on pourrait définir le comportement humain producteur qu'est la culture comme étant « une façon spéciale (et « consciente ») de penser », alors que le comportement humain sociable qu'est la civilisation serait « une façon spéciale (et « inconsciente ») de vivre. »

La culture, inconscience devenue conscience (ou nature devenue histoire, ou illusion devenue réalité, ou corps devenu âme, ou intuition devenue connaissance ou tempérament devenu caractère) est par conséquent la cause et/ou le produit « supérieur » de toute civilisation. Si l'inconscience humaine devient conscience, c'est qu'il existe déjà dans toute inconscience humaine une certaine conscience, qui se développe de façon différente selon son degré culturel. Dans toute conscience humaine cependant il demeure toujours une certaine inconscience subjective qui peut devenir une certaine conscience objective, et ce de par l'interprétation d'autrui. C'est pourquoi, la définition de Fernand Dumont selon laquelle « la culture est ce dans quoi l'homme est un être historique » est insuffisante, car l'être humain est culturel dans la mesure où il est « aussi » historique.

En tout cas, la culture et la civilisation sont des phénomènes naturellement et historiquement humains. De ce point de vue, l'homme n'est pas seulement un animal rationnel et un animal politique, puisque l'intelligence et la sociabilité ne sont pas des phénomènes forcément et exclusivement humains, mais aussi et surtout un **animal culturel,** un animal de plus en plus conscient de son imperfection absolue, donc insatisfait et par conséquent créateur d'une perfection relative et qui refuse à cause de cela, à tort ou à raison, son animalité, d'où le tragique et le sublime de son mystérieux destin, comme l'avaient si bien compris les Grecs anciens.

On pourrait même dire que la culture, puisqu'elle signifie « comportement créateur », constitue l'essence même de la nature de l'être humain, et ce dans la mesure où celui-ci devient précisément de plus en plus « conscience de soi », dans la mesure où il découvre davantage son âme. Mais la conscience de soi entraîne inévitablement la « conscience de l'autre », et « les autres c'est l'enfer », donc la conscience de son inconscience, d'où le pathos de l'existence humaine. C'est pourquoi la culture est différente, mais pas nécessairement supérieure, de la nature physique des choses et de la nature instinctive des animaux. C'est ce qui la rend apparemment artificielle et artistique à la fois. Et c'est précisément dans la mesure où la culture, nature humaine consciente, ne s'harmonise pas avec les autres natures que les conflits et les contradictions de l'âme humaine éclatent constamment et continuellement.

Comme l'homme, les hommes et le genre humain, il y a des cultures et des civilisations personnelles, collectives-particulières, collectives-générales et collectives-universelles, qui changent continuellement, à cause de l'insatisfaction permanente qui règne, de façon tragique et sublime à la fois, dans l'âme humaine (changement, ici, contrairement à Héraclite d'Ephèse et conformément à Zénon d'Elée, ne veut pas dire nécessairement progrès ou décadence, puisque, de toute façon et du point de vue subjectif, l'homme-peuple demeure souvent assez passif vis-à-vis de ce phénomène, ou ne se rend pas toujours compte du changement ou ne l'assume pas entièrement ou parce que le changement est presque toujours extrêmement technique. Le changement peut devenir, tout au plus, évolution ou involution, c'est-à-dire changement imperceptible). De plus, elles peuvent être, en même temps ou pas, quantitativement et qualitativement, grandes et petites différentes, contraires, opposées, distinctes, uniformes, égales, assimilatrices ou assimilables, intégrationnistes ou intégrationnables, nationales et internationales.

L'évolution de la culture et de la civilisation ressemble, singulièrement, à l'évolution du genre humain et des espèces humaines: il n'y a pas et ne saurait y avoir de solution de continuité entre les différentes cultures et les civilisations.

Car si toutes les cultures et les civilisations sont mortelles comme les êtres humains, dans certaines de leurs manifestations particulières les moins vitales, elles sont aussi, du moins, relativement immortelles, ou relativement éternelles, dans certaines de leurs manifestations particulières les plus vitales, comme le genre humain d'ailleurs dans son ensemble.

Il n'y a pas et il ne saurait y avoir de vase clos entre les différentes cultures et civilisations, puisqu'elles supposent toutes le genre humain, qui est unitaire et diversifié à la fois, et qui a une origine et une fin mystérieusement communes, (des noumènes, dirait Kant), origine et fin qui ressortissent spécifiquement de sa nature et de son histoire, de son « essence » humaine. Ce qui les distingue, les différencie, les unit et les oppose à la fois, c'est en partie le contenu, mais c'est surtout la forme.

Pour ce qui a trait plus particulièrement à la culture, sujet qui nous occupe présentement, c'est, étant donné le contexte québécois actuel, la culture dite nationale qui nous intéresse davantage, à savoir la culture d'une société humaine qui, en général, est peut-être caractérisée par le fait qu'elle est économiquement, sociologiquement et politiquement organisée, mais qui est surtout symbolisée, comme le disait si bien Renan par « un plébiscite de tous les jours », c'est-à-dire, selon nous, par une culture généralement et collectivement spéciale. Et c'est, comme on le verra chemin faisant, la forme développée, assumée, définie et diffusée par une culture nationale qui rend particulièrement distincte celle-ci par rapport aux autres cultures nationales.

La culture étatique nous intéresse moins, puisque à la différence de la nation, qui est une « organisation » naturelle et historique relativement permanente, l'Etat est souvent une organisation artificielle et historique relativement temporaire, même s'il constitue fort souvent une étape importante et décisive dans la vie d'une nation. L'Etat, au fait, ce n'est pas une organisation pour « mieux » vivre ensemble que se donnent certaines personnes ou certains groupes, comme pensait erronément Aristote; c'est plutôt une organisation pour vivre ensemble tout simplement. C'est pourquoi, l'Etat, en tant que tel, ne possède pas, à proprement parler, de culture. La nation, elle, est une « organisation » pour « mieux » vivre ensemble, d'où son apparente informalisation et sa réelle « culturisation ».

Le peuple et l'élite

Ce qu'on peut aisément distinguer dans une culture nationale c'est l'existence de deux éléments « naturels » et « historiques », c'est-à-dire d'une élite, la minorité qualitative de ceux qui sont intellectuellement et moralement originaux et supérieurs (minorité puisqu'il est apparemment et relativement difficile d'être élite), et d'un peuple, la majorité quantitative de ceux qui sont intellectuellement et moralement banals et médiocres (majorité puisqu'il est apparemment et relativement facile d'être peuple). Ou, si l'on préfère, on pourrait dire que toute culture nationale suppose une âme ou une conscience, une élite qui « pense » et en oriente la forme, et un corps ou un instinct, un peuple qui « vit » et en inspire le contenu.

Il faut dire que, selon les cas et les circonstances et les degrés de vigilance, de lassitude, de liberté et de créativité, on peut être temporairement et partiellement élite et/ou peuple. De toute façon, on n'est pas élite ou peuple « ad vitam aeternam »; on peut même être élite ou peuple « ad hoc ».

On se limite ici à constater l'existence d'une culture, ce qui fait qu'elle soit nationale, et ses éléments fondamentaux. On ne peut pas, et pour cause, déterminer avec précision si la culture précède, est concomitante ou suit la civilisation, et répondre en quelques lignes aux pourquoi et aux comment de la formation des nations et surtout aux pourquoi et aux comment des élites et des peuples. Il suffit de dire, ici, que la culture et la civilisation sont, d'une certaine façon, interdépendantes entre elles et que ce n'est pas par hasard ni par nécessité que des êtres humains viennent à penser (et à vivre) de la même façon, puisque ceux-ci, en tant que créatures culturelles, sont relativement libres d'appartenir à une nation plutôt qu'à une autre et d'être élite ou peuple. Autrement, ils ne sont pas des êtres culturels. (Mais ça ne signifie pas nécessairement que l'essence humaine suive l'existence humaine, comme pense, par exemple, Sartre).

Tant qu'il y a une certaine harmonie et intégration, tant qu'il y a une certaine synthèse ou symbiose entre ces deux éléments fondamentaux, toute culture nationale est viable et perfectible. Il se produit en effet dans les sociétés nationales ainsi perfectibles une communion morale et intellectuelle combien vivante entre ses deux éléments constitutifs.

La perfection ou le maximum possible de la perfection s'effectue lorsque le peuple s'élitise (lorsqu'il rejoint l'élite).

Au contraire, le déclin se réalise lorsque l'élite se dépopulise (lorsqu'elle devient absolument inaccessible) ou populise (lorsqu'elle devient trop facilement accessible) de façon irrémédiable ou presque.

La crise, enfin, se produit, lorsque l'élite, généralement minoritaire, et le peuple, généralement majoritaire, deviennent thèse et antithèse ou vice-versa, selon les cas et les circonstances. Naturellement et historiquement, c'est la crise qui semble être la situation la plus « normale » des nations. La crise est négative lorsque la dichotomie thèse-antithèse s'installe dans une situation d'immobilité. Elle est, par contre, positive, et donc hégélienne, si elle permet ce que Pareto appelait si bien la « circulation des aristocraties ». Le Québec semble échapper, du moins en partie, à un pareil schème d'analyse.

Un peuple sans élite

Le Québec constitue un phénomène culturel combien étrange, naturellement et historiquement parlant. Les Québécois constituent certainement une nation, économiquement, sociologiquement et politiquement. Mais le sont-ils culturellement, ce qui constitue le problème essentiel à ce sujet?

Les Québécois ont ceci de particulier, de n'avoir pas eu

de véritable élite, de véritables ennemis et de véritables idéaux, de n'avoir pas eu en somme de véritable « histoire », mais d'avoir possédé surtout une « nature ». Cette situation, historiquement anachronique et naturellement bizarre, pose de sérieux problèmes à l'analyste qui désire interpréter comme il se doit le devenir culturel du Québec et des Québécois.

Les Québécois ont été un peuple sans véritable élite; si par élite on entend des gens nobles, dans le sens précis du terme, force nous est de constater que le Québec n'en a pas eu, qu'il n'y a pas eu chez nous, c'est-à-dire, des gens exerçant une certaine « influence culturelle », donc des gens intellectuellement et moralement originaux et supérieurs, l'élite traditionnelle du Québec ayant été pendant longtemps, à ne pas en douter, une élite politique constituée de certaines gens exerçant un certain « pouvoir politique ». Des gens qui étaient donc, culturellement, des snobs, dans le sens précis du terme, à savoir des gens sans noblesse aucune, étant donné leur médiocrité et leur banalité intellectuelle et morale (nous appellerons désormais ce semblant d'élite: « la classe dirigeante » politique traditionnelle, car nous préférons et pour cause, cette expression de Mosca, à l'autre, « élite de pouvoir », de C. Wright Mills, puisque l'élite ne peut être que culturelle).

C'est une situation culturellement anormale. Y a-t-il un lien entre une pareille situation culturelle et l'absence réelle de véritables classes sociales au Québec? On peut se poser au moins la question. Mais il faut bien souligner le fait que la culture, en tant que domaine de liberté relative, ne saurait être conditionnée indûment par le social, même si tout est interdépendant chez l'être humain. Autrement, il n'y a pas de culture. Mais il faut reconnaître, à toutes fins pratiques, que l'élite, lorsqu'elle existe, coïncide fort souvent avec la minorité de la minorité au pouvoir. Car depuis que le monde est monde, ce sont les minorités (actives et vigilantes) qui donnent l'exemple aux peuples et en dirigent les destinées. A moins que les choses ne changent avec la « nouvelle culture » qui semble apparaître à l'horizon de l'histoire humaine.

Les Québécois n'ont pas eu de véritables ennemis: les premiers ennemis réels et immédiats des Québécois furent la nature, les Anglais et les Indiens. Les deuxièmes ennemis, moins réels et moins immédiats, créés de toutes pièces par leur classe dirigeante, furent la ville, les affaires, les étrangers et surtout les protestants et les Anglais qui ne s'opposèrent pas à un pareil complot, et pour cause.

Avec l'accord « naturel » des « ennemis », puisque c'était dans leur intérêt de ne point modifier le statu quo, et à cause du désintéressement naturel des Québécois, la classe dirigeante canadienne-française se voyait ainsi octroyé le monopole religieux et politique du petit peuple catholique et français. Tant que les Québécois demeureraient catholiques et français, pas de problèmes sérieux au Canada et au Québec!

Mais les Québécois étaient, originellement, des « Normands » authentiques (des hommes du nord c'est-à-dire), même si quelque peu latinisés par la douce France, et ils finirent par assumer leur nouvelle nature. De plus, les luttes militaires contre les Indiens et les Anglais furent de courte durée. Est-ce parce que, du point de vue racial, il n'y avait pas tellement de différences entre les « Canadiens » et les « Anglais »? Est-ce parce qu'il y eut pas mal d'unions mixtes entre les « Canadiens » et les « Indiens »?

De toute façon, pendant plus de deux siècles, et jusqu'à nos jours, il n'y a pas eu, à quelques exceptions près, de véritables conflits militaires et sanguinaires au Canada et au Québec, et ceci devrait faire réfléchir longtemps les studieux quant au pourquoi et au comment de la culture collective-générale des Québécois.

Pour ce qui a trait aux ennemis créés par la classe dirigeante, classe constituée au début de la colonisation, comme on le sait, par le seigneur, le fonctionnaire et le prêtre et plus tard, après la conquête des Anglais, par le prêtre, le professionnel et le politicien, ils furent ignorés, naturellement et historiquement, par le peuple québécois. Car le peuple québécois émigre vers le sud, s'urbanise et comprend, naturellement et historiquement, que sa véritable langue à lui, que sa véritable religion à lui ne sont pas en danger et il vit tout simplement. Il vit ou il survit?

Les Québécois n'ont pas eu de véritables idéaux: le peuple québécois ayant été abandonné par ceux qui auraient pu devenir l'élite de la nation, au moment de la conquête anglaise de la Nouvelle-France, la classe dirigeante essaye de lui « vendre » un idéal ou des idéaux négatifs et artificiels, et plus précisément les suivants: la vocation agricole d'antan, le catholicisme intégral et missionnaire, et la francité, le « messianisme » quoi!

Quels ont été les résultats concrets de cette démarche de la classe dirigeante? Le peuple québécois s'est urbanisé de façon vertigineuse. Ceux qui sont restés fidèles à la terre se sont rapidement mécanisés et industrialisés.

Le peuple québécois, de plus, a accepté récemment avec beaucoup de facilité, avec trop de facilité, le divorce, le mariage civil, l'avortement et la pilule anticonceptionnelle. **Cette attitude du peuple, très protestante** dans le sens précis du terme, a mûri pendant des années et des années, à l'insu de sa classe dirigeante. Cela démontre que le peuple québécois était naturellement prêt, depuis longtemps, à rattraper le « retard historique » du Québec créé par sa classe dirigeante (c'est pourquoi, le rattrapage a été on ne peut plus rapide et profond), donc le peu d'influence de ladite classe, dont il a carrément refusé les idéaux. La reconnaissance tardive et passive du législateur n'a fait que confirmer la chose. Ça a confirmé également le recyclage tardif de notre classe dirigeante.

Le peuple québécois, n'ayant pas eu de véritable élite qui aurait pu l'orienter, n'ayant pas eu de véritables ennemis qui auraient pu le stimuler, n'ayant pas eu de véritables idéaux qui auraient pu le tranquilliser, a donc fini par vivre ou survivre. Sans identité réelle et sans points d'appui pour ce faire. Les Québécois n'ont donc pas eu de véritable histoire. Pas de passé exaltant, pas de présent intéressant, pas de futur prometteur, en définitive pas de véritable culture donc. Tout au plus, se sentaient-ils vaguement « Canadiens » et se percevaient-ils quelque peu différents des « Anglais ».

D'où la tristesse et l'angoisse, spécifiquement existentialistes, du peuple québécois, seul et solitaire dans un désert humain combien glacial (les expressions, heureusement de moins en moins fréquentes, comme « nous sommes nés pour un petit pain » ou « nous sommes une race de porteurs d'eau » ne sont-elles pas, dans le fond, la manifestation la plus brutale et la plus évidente qui soit à ce sujet?).

L'apparition d'une « nouvelle » élite au Québec

Mais lentement, très lentement, presque imperceptiblement, consciemment et inconsciemment à la fois, le peuple québécois s'est « transformé », d'une certaine façon, bien sûr, et temporairement, en élite. Il est devenu lui-même sa propre élite, son propre guide, sa propre orientation, son propre créateur, son propre « poète », le poète de sa « **québecqui-cité** » (et non pas de sa « québecquitude », la première expression symbolisant, me semble-t-il, le destin sublime des Québécois; la deuxième expression, le destin tragique des Québécois, celui-ci ayant trouvé un « digne » chanteur dans la classe dirigeante québécoise). Mais il ne faudrait pas trop s'en étonner, puisque les Québécois étaient depuis longtemps, même si un peu inconsciemment, des « seigneurs-paysans » et des « filles du roi ». Et ça, c'a été le « salut culturel » du Québec.

C'est un phénomène presque unique dans l'histoire humaine du monde entier. N'en avons-nous pas eu, dans le passé de notre histoire, un exemple, combien intéressant, dans le refus naturel que le peuple québécois signifia à l'instauration brutale du droit privé britannique au Québec, à la suite de la proclamation royale de 1763, alors que, tout naturellement et très spontanément, il appliqua dans ses querelles internes le droit privé français pourtant officiellement aboli? En 1774, comme on le sait, les Britanniques furent obligés de reconnaître légalement cet état de fait, d'où la première victoire « naturelle et historique » (ou instinctive et rationnelle) de cette démarche du peuple québécois (malgré le fait que les 65 « dirigeants » québécois qui avaient signé, pour la forme, la pétition envoyée à cet effet à Londres, crurent bon d'y souligner combien il était « doux » de vivre sous le régime anglais).

Il a fallu des siècles, des années et des années, des hésitations continuelles, une immense période de solitude angoissante, des exemples pris à la « nature » québécoise, aux voisins du sud, les Américains, aux nouveaux immigrants, pour que le peuple québécois se forge imperceptiblement, mais sûrement, sa propre façon de vivre.

Vivre ou survivre dans une nature de prime abord ingrate; tout près d'une nation projetée vers l'avenir; en face d'une autre solitude humaine, les Canadiens anglais; risquer de se faire contaminer par des nouveaux venus épris de liberté et de nouveauté et en même temps riches et lourds de traditions millénaires; sauvegarder l'essentiel de ses origines et de ses institutions; ç'a été le grand défi du peuple québécois. Et le peuple québécois a choisi de le relever. Le choix s'est fait très, très lentement, mais il s'est fait. Et les Québécois ont créé et développé leur propre façon de vivre. Façon spéciale, combien spéciale, de vivre qui a fini par devenir, aussi et surtout, une façon spéciale de penser, puisque le peuple québécois a été, d'une certaine façon, sa propre élite.

Il y a eu deuxième grande victoire, naturelle et historique, du peuple québécois, lorsqu'il a assumé sa terre à lui, son climat à lui, sa géographie à lui. Lorsqu'il s'est marié pour de bon avec sa nature. Et une invention récente, apparemment simple à première vue, celle du « ski-doo », (ces raquettes modernes) n'est-elle pas le couronnement de ce cheminement pénible mais sûr du peuple québécois, n'est-elle pas la manifestation la plus éclatante qui soit que le peuple québécois a décidé, à sa façon, bien sûr, de profiter au maximum de sa terrible et merveilleuse nature?

Et puis vint la révolution tranquille des années 1960 et nous avons assisté (et participé) à un phénomène important dans l'histoire du monde, à la troisième victoire, naturelle et historique, du peuple québécois: un peuple créant, dans son sein, une élite, qui ne pouvait pas ne pas être culturelle, une élite à la hauteur des temps. Une « nouvelle » élite plus diversifiée, plus spécialisée et plus moderne que la classe dirigeante traditionnelle (phénomène combien intéressant « sociologiquement » parlant) et qui, en bonne créature docile, a emboîté le pas de son créateur, le peuple québécois. (Elite « nouvelle » dans le sens authentique du terme, à savoir dans le sens de personnes intellectuellement et moralement « modernes », qui perçoivent de façon différente et plus conforme à sa nature et à son histoire, la réalité culturelle de leur nation. Il y a, bien sûr, le sens classique du terme « nouveau », c'est-à-dire tout ce qui, apparemment, n'existe que depuis quelque temps. Mais ça c'est son sens inauthentique, car tout ce qui, apparemment, n'existe que depuis quelque temps, existe déjà depuis longtemps, dans son « essence ». Toute création suppose un créateur et tout créateur . . . et ainsi de suite. Pourvu qu'on se rappelle qu'il ne saurait y avoir de solution de continuité chez les êtres humains, on pourra alors utiliser, à bon escient le terme « nouveau »).

Révolution tranquille: n'y a-t-il pas une expression plus étrange et plus bizarre que celle-ci? Peut-il y avoir, aussi, une expression plus québécoise que celle-ci? Car c'est ça le « caractère » de la culture québécoise nouvellement née de la révolution tranquille, le fait d'être tranquillement révolutionnaires, une « nouvelle » culture créée par l'homme-masse québécois pour l'homme-masse québécois. En ce sens, le peuple québécois est devenu le peuple le plus naturellement historique qui soit parmi les peuples modernes, car l'histoire moderne n'est-elle pas caractérisée par la révolution ou la révolte culturelle, des masses? Par la disparition des élites ou par l'élitisation des peuples? Et ça, c'est le grand, terrible, défi de la « nouvelle » culture! (Même si les révolutions, ne l'oublions pas, surtout lorsqu'elles réussissent, consacrent souvent la victoire des moyens et non pas des fins. La révolte, elle, ne réussit jamais!)

Le Québec s'est donc divisé, naturellement et historiquement, et douloureusement aussi, pour les besoins de sa cause, en deux éléments naturels et historiques nouveaux, la thèse et l'antithèse, le peuple et l'élite, le « nouveau » peuple (pluraliste) et la « nouvelle » élite (pluraliste). La formation sociologiquement différente de la nouvelle élite et du nouveau peuple constitue un phénomène combien intéressant pour les « social scientists ».

Cette division s'est faite cependant de façon particulièrement différente des autres nations « civilisées », où, en général, la situation culturelle est plutôt claire, du moins, apparemment. Ici, au Québec, il est difficile de déceler vraiment qui est la thèse et qui est l'antithèse. L'on pourrait même se demander s'il y a vraiment thèse et antithèse, et si la « crise », si crise il y a, est positive ou négative. La situation est encore trop fluide à ce sujet.

Ce n'est, de toute façon, que dans la mesure où la nouvelle élite culturelle, issue en droite ligne du peuple, sera capable de jouer parfaitement son rôle, d'assumer et de définir donc la nouvelle culture québécoise, qu'une synthèse sera possible et souhaitable et singulièrement fonctionnelle pour tous les Québécois (un authentique **Senatus Populusque Quebecensis**, quoi!) Et ce sera la quatrième victoire, naturelle et historique, du peuple québécois.

A moins qu'à l'angoisse populaire d'avant le choix ne succède l'angoisse d'après le choix et que la nouvelle élite ne soit qu'une pseudo-élite.

Ou qu'il ne se produise un divorce d'intérêt culturel entre le peuple et l'élite, mais cela paraît improbable, puisque l'élite et le peuple du Québec semblent vivre actuellement la même passion, du moins en apparence. Tout nouveau retard historique semblerait non naturel, donc improbable.

C'est pourquoi le temps est venu, naturellement et historiquement, non pas de créer la culture québécoise, car elle a été créée, des siècles durant, par son peuple (qui avait compris que ses véritables ennemis et ses véritables idéaux étaient chez lui, dans son âme collective), mais de l'assumer pleinement et surtout de la « définir » ou de la « causer », pour ainsi dire. Après quoi, sa diffusion sera presque un jeu d'enfants.

Et c'est, me semble-t-il, la lourde tâche de la nouvelle élite culturelle, issue mystérieusement, mais non pas accidentellement (puisqu'elle a été créée à cette fin) de la révolution tranquille du peuple québécois, celui-ci étant maintenant essouflé, et pour cause, puisqu'il est peuple, au stade de la « définition » de sa propre culture.

La « définition » de la culture québécoise par l'élite québécoise est absolument nécessaire parce qu'elle ne peut être faite que par elle et afin que le « choix » fait par le peuple québécois devienne on ne peut plus final.

L'élite a reçu des mains du peuple cette responsabilité. Qu'elle ne se dérobe surtout pas!

CHAPITRE II

La qualité et le contexte culturels de l'élite québécoise

« Pour les âmes d'élite,
il y a des souffrances de choix »
André Gide

Quelle est la spécificité de la culture québécoise? Quelle est la « forme » particulière de cette culture « nouvelle »? La spécificité québécoise, la « forme » de sa culture ne serait-elle pas constituée par le fait que le peuple québécois parle une langue néo-française, le québécois précisément? S'il y a eu et s'il y a des langues néo-latines, pourquoi ne pourrait-il pas y avoir des langues néo-françaises? Ce serait tout à l'honneur de la « francophonie »!

Nous le verrons chemin faisant; voyons pour le moment comment se présente, de nos jours, structurellement et fonctionnellement, la culture au Québec.

En tenant compte des remarques énoncées précédemment sur la culture et en tenant compte du contexte québécois, on peut accepter, me semble-t-il, deux définitions générales de la culture québécoise. (Il ne faudrait pas oublier toutefois qu'il n'y a pas chose plus difficile que de définir comme il faut les réalités humaines.)

La première définition est restrictive: la culture du Québec est la façon spéciale de penser de la nation québécoise. C'est la récolte, qualitativement la plus supérieure et la plus originale qui soit sur la terre, de la moisson intellectuelle et morale, à savoir de tout ce qui est merveilleusement beau et extraordinairement juste, donc de tout ce qui est humainement parfait.

La deuxième définition est globale: la culture du Québec est la façon spéciale de vivre et de penser de la nation québécoise. C'est la définition la plus québécoise qui soit de la culture, à cause de la nature et de l'histoire des Québécois, et c'est aussi la définition la plus moderne qui soit à ce sujet, car on est de plus en plus d'accord qu'« il n'y a pas de flamme sur une lampe sans huile ».

La définition globale de la culture nous permet, d'ailleurs de résoudre d'une certaine façon, le problème à savoir si au Québec la culture précède, est concomitante, ou suit la civilisation. Car au Québec la culture a suivi la civilisation, mais de manière presque simultanée, à tel point qu'on ne peut les distancer que très difficilement. De ce point de vue, les Québécois ont été et sont encore on ne peut plus existentialistes, puisque chez nous la vie a précédé, relativement bien entendu, la pensée. C'est ce qui rend la culture québécoise très particulière. Et c'est ce qui fait qu'on peut et doit se poser des questions très sérieuses sur la qualité de la culture québécoise qui se fait. (Mais n'oublions pas que les Romains disaient déjà: « Primum vivere, deinde philosophari »!) Est-ce à dire que le maximum de la perfection humaine existera le jour où la culture précédera ou détruira absolument toute forme de civilisation? Pas du tout! A moins qu'on ne puisse démontrer qu'à l'origine l'homme n'était que pensée et que sa fin ultime consisterait dans le retour intégral à la pensée pure.

Selon la deuxième définition, la culture québécoise c'est la manifestation globale de l'âme collective du Québec. C'est la conscience que les Québécois ont de leur passé, de leur présent, de leur futur et de leur espace. C'est tout ce qui symbolise, institutionnellement et vitalement, leur temps et leur milieu. Et c'est surtout, pour les Québécois, leur intention globalement bien arrêtée de devenir, un jour, un peuple-élite.

L'élite québécoise

Voyons de plus près la première définition. (Il faut se rappeler cependant que la première définition ne peut pas être absolument détachée de la deuxième définition de la culture.) Quelle est la qualité des lettrés, des scribes et des experts québécois? (Ceux qui constitueraient l'intelligentsia selon Aaron.) L'on ne peut pas ne pas remarquer, de nos jours du moins, un bouillonnement intellectuel et moral extraordinaire au Québec. Et cependant il n'y a pas eu et il n'y a pas de chefs-d'œuvre ni de génies créateurs dans le monde culturel québécois. Qui plus est, il n'y a pas eu et il n'y a pas de créations culturelles qui ont été perçues comme étant des chefs-d'œuvre ni de créateurs culturels qui ont été ou sont considérés comme des génies. C'est une constatation tout simplement, pas nécessairement négative (en attendant, pourquoi l'élite ne « comploterait-elle » pas pour faire de « Trente arpents » et de Ringuet l'œuvre et l'écrivain nationaux du Québec? Après tout Ringuet est mort et son œuvre est un hommage vibrant et tendre à la « **nordicité** » des Québécois).

De plus, il n'y a pas eu et il n'y a pas de penseurs ni de théoriciens au Québec (parmi les quelques exceptions que je connaisse, mentionnons Fernand Dumont et Fernand Ouellette, mais tant qu'on ne va pas les appeler sans leurs prénoms . . .) Il y a, bien sûr, des professeurs d'université, mais qui ne publient pas. Ou, lorsqu'ils publient, ils font preuve, avec leurs éditeurs de beaucoup de courage et d'inconscience à la fois. Un exemple assez récent: le livre de Jean Dufresne sur Yvon Deschamps. L'auteur est un journaliste très respectable, Deschamps est certainement l'un des meilleurs artistes du Québec et le livre est très beau. Mais y a-t-il là matière à publication dans un ouvrage « universitaire »? Dans les publications universitaires, dans les publications de qualité c'est-à-dire, on ne peut pas ne pas être très discriminatoire. Car autrement, pourquoi ne publie-rait-on pas un ouvrage universitaire, pour savoir et faire savoir combien de fois par année le Québécois moyen fait pipi la nuit, et ce par exemple du premier mars au 28 février d'une année donnée, bissextile ou pas.

Des technocrates, les scribes d'aujourd'hui, bien sûr, mais qui semblent intéressés plus aux « choses » qu'aux « idées », et qui sont fort souvent plus politicailleurs que les politi-ciens (est-ce parce que c'est trop facile de devenir techno-crate chez nous? est-ce parce qu'il n'y a pas, ici au Québec, de « cursus honorum »?) Nos politiciens, de · leur côté s'amusent à taquiner farouchement, les chefs syndicaux, mais n'agissent-ils pas ainsi pour des raisons strictement électorales? S'il est vrai, cependant, que l'électoralisme est un phénomène politique tristement répandu chez nous, on ne peut quand même pas reprocher à des politiciens d'être des politiciens. Mais peut-on ou doit-on faire un pareil re-proche à des gens d'élite qui deviennent des agents du pou-voir? Le fait est que dans la mesure où l'élite-influence de-vient pouvoir, elle n'est plus à proprement parler, élite, car le pouvoir est inévitablement synonyme de compromis et de compromission. C'est pourquoi, il est préférable, pour la santé d'une nation, que l'élite demeure élite et qu'elle puisse donc continuer à influencer les politiciens pour que ces der-niers deviennent de plus en plus de véritables hommes poli-tiques. Certes, le fait qu'une partie de notre élite ait tenté et ait partiellement réussi à devenir pouvoir, démontre, d'une façon on ne peut plus évidente, qu'elle n'était, somme toute, qu'une pseudo-élite. Faut-il souligner le fait toutefois, qu'on peut à la rigueur, demeurer ou devenir élite dans l'exercice du pouvoir, mais à la condition qu'on veuille et sache « souffrir » . . .

Des professionnels, bien sûr, mais qui brillent surtout par

leur niveau de vie combien matérialiste. Des professionnels sans « culture » quoi! (culture dans le sens restrictif du terme, bien sûr). C'est ce qui explique, d'ailleurs, la banalité et la médiocrité de certains de nos dirigeants, qui sont ainsi non pas parce qu'ils sont professionnels, car depuis que le monde est monde, « certains professionnels » ont toujours été dirigeants. Ce qui est typiquement québécois, c'est le manque de culture des professionnels québécois. Et le fait aussi que n'importe quel professionnel puisse devenir dirigeant chez nous. (Mais peut-être un politicien « professionnel » est-il plus fonctionnel qu'un politicien « intellectuel »!)

Des experts, bien sûr, mais intéressés surtout au « comment » des choses. Des juristes, bien sûr, mais qui se limitent à présenter et à expliquer, sans les interpréter, ni les critiquer sérieusement, des arrêts jurisprudentiels dont ils ont l'habitude de citer des extraits immensément longs et pas toujours très intéressants du point de vue de la science juridique. trop potiniers. Des sociologues, des économistes, des politicologues, des « social scientists » (les humanistes modernes, logues, des « social scientists » (les humanistes modernes, quoi!), bien sûr, mais qui accumulent statistiques sur statistiques (c'est, d'ailleurs, dans ce domaine social, où les « progrès » sont les plus rapides, les plus évidents et les plus originaux. Même si les grandes illusions suscitées par les sciences sociales tirent à leur fin au Québec, ce qui créera, aussi étrange que cela puisse paraître, un retour « sérieux » au droit, qui est, à proprement parler, la seule véritable science sociale qui soit). Des « intellectuels » pas très doués et pas très portés vers les études classiques et humanistes. (A tel point que leurs ambitions intellectuelles se résument à chercher et à trouver une bonne « planque », ou comme juge, ou comme sénateur, ou comme dirigeant dans une organisation publique ou para-publique. S'ils « produisent »

avant, c'est pour en arriver là; après adieu productions!)
Ce qui en soi n'est pas étonnant, si l'on songe un seul instant
que les soi-disant collèges « classiques » du Québec qui
auraient dû former les « meilleurs » du Québec, n'étaient
classiques que de nom. Dans le fond, ce qui manque au
Québec, ce sont de véritables collèges classiques! Car le
Québec n'a pas besoin de bons spécialistes (il y en a déjà
trop), il a besoin de bons généralistes.

Une élite qui a été singulièrement et inconsciemment symbolisée par Michel Tremblay, dans sa pièce « Les Belles-
Sœurs », par le personnage abruti de Lisette de Courval (le
« de » n'est pas casuel), personnage, comme on le sait,
incapable de s'exprimer comme il faut, à cause d'un voyage
mal digéré en Europe. (C'est-à-dire incapable de s'exprimer
ou en joual ou en québécois ou en français).

Et pourtant il y a les « gars de Lapalme » ces prolétaires
« nobles » du Québec. Et pourtant il y a les poètes et les
chansonniers du Québec, qui chantent merveilleusement le
destin tragique des Québécois, mais aussi leurs espoirs et
leur vigueur inassouvis. Et pourtant dans la peinture, l'histoire, le folklore, la musique, le théâtre et le cinéma, et chez
certains éditorialistes et critiques, il se fait des choses d'une
valeur et d'une qualité indiscutables. (Mais pourquoi les
critiques examinent-ils presque exclusivement des auteurs
« vivants »? Notre passé littéraire mériterait d'être fouillé
davantage par des critiques-archéologues, qui pourraient alors
découvrir certaines réalités combien extraordinaires, et très
peu « folkloriques »). Nous avons une « littérature » extraordinairement vivante et originale, et combien poétique, mais
qui hésite.

Pourquoi cette situation aussi bizarre? C'est que la
culture québécoise est une culture de masse, avec toutes les
qualités et les défauts que cela comporte. N'a-t-on pas dit,

à tort ou à raison, que la culture de masse se caractérise par le fait que tout ce qui est différent de la masse est indécent (voir à ce sujet Ortega y Gasset).

Est-ce pour cela que les intellectuels du Québec ont peur de « se prendre pour d'autres », pour utiliser une expression bien québécoise. Est-ce parce que le peuple québécois a créé une élite culturelle à son image, hésitante et incertaine?

Cette peur, cette crainte d'être culturellement soi-même engendre inévitablement l'imitation ou la paralysie culturelle.

Et le propre d'une élite culturelle c'est de prendre en main son destin, c'est d'innover, c'est d'être audacieuse lorsque les circonstances et les besoins l'exigent. Le contexte québécois est-il si paralysant que ça? N'y a-t-il pas des ennemis à combattre, des idéaux à promouvoir et des moyens adéquats et efficaces à utiliser à cette fin?

Le contexte culturel québécois, c'est quoi au juste? Ce sont le climat, l'élite et le peuple québécois, le fédéralisme canadien, les Etats-Unis, la langue française, la langue anglaise, la « mer anglo-saxonne », la mère patrie, la France, les « nouveaux » immigrants, le confort et la facilité du monde moderne occidental. Ce contexte peut stimuler ou paralyser le développement culturel québécois, selon les cas et les circonstances.

Le contexte Québec-Ottawa

La culture québécoise, dit-on, est continuellement ballotée entre Ottawa et Québec, entre les Canadiens anglais et les Canadiens français ou, si l'on veut, entre le Secrétariat d'Etat, le Conseil des Arts du Canada et le ministère des Affaires extérieures d'un côté, et le ministère des Affaires culturelles de l'autre, ou encore entre le Rapport Massey du fédéral (rendu public en 1951) et le Rapport Tremblay du Québec (imprimé en 1956).

Rappelons brièvement, à ce sujet, que le budget du Secrétariat d'Etat a été, pendant l'année fiscale 1970-71, de l'ordre de presque 600 millions de dollars. Le budget du Conseil des Arts a été, pendant la même année fiscale, de l'ordre de 32 millions de dollars. Selon l'article 4 de la loi du Secrétariat (S.C. 1966-67, ch. 25), ce ministère fédéral a comme but, entre autres, « L'encouragement aux lettres, aux arts plastiques et aux arts d'interprétation, à la diffusion du savoir et à l'activité culturelle ... » Le Conseil des Arts, par ailleurs, a comme but de « développer et de favoriser l'étude et la jouissance des arts, des humanités et des sciences sociales, de même que la production d'œuvres s'y rattachant (S.C. 1956-57, ch. 3, article 8). Il s'agit, bien entendu, des deux lois culturelles les plus importantes du fédéral. Mais il y a eu au moins une trentaine de lois fédérales qui ont trait, directement ou indirectement au domaine culturel (ce qui fait qu'il y a au moins une trentaine d'organismes fédéraux qui font de l'action culturelle au Canada et au Québec et qui sont fort souvent très autonomes au point de vue juridique).

Pour ce qui a trait à la Commission Massey, soulignons qu'on mentionnait dans son mandat « l'intérêt national » du Canada de valoriser davantage « l'histoire et les traditions » des Canadiens. Dans leurs recommandations, les Commissaires fédéraux demandaient « que soit créé un organisme désigné sous le nom de Conseil canadien pour l'encouragement des arts, lettres, humanités et sciences sociales » (d'où la création, en 1957, du Conseil des Arts du Canada). Au sujet des relations entre la culture et l'éducation, les Commissaires disaient ce qui suit: « La culture est la partie intellectuelle et artistique de l'éducation ... C'est cette culture ou éducation générale, extra-scolaire, que nous sommes appelés à connaître. » (La Commission Massey avait donc esquissé, et pour cause, une distinction la plus nette possible, entre l'éducation, domaine de compétence évidemment « provinciale », et la culture, domaine de compétence prétendûment conjointe. Il va sans dire que les Commissaires partaient, de toute façon, d'une définition restrictive de la culture).

La Commission Tremblay, instituée en 1953, devait essayer de rétablir les choses à ce sujet. Dans le mandat de la Commission, on insistait sur le fait que « La Confédération canadienne est d'abord et surtout un pacte d'honneur entre les deux grandes races ... » Dans leur Rapport, les Commissaires disaient, entre autres: « La dualité des cultures est la donnée centrale du problème politique canadien, quel que soit l'angle sous lequel on l'aborde »; et ailleurs dans le texte: « Par la religion, la culture et l'histoire de la majorité de la population, la province de Québec n'est pas une province comme les autres. » La Commission Tremblay n'acceptait pas, en conclusion, la distinction faite par la Commission Massey entre l'éducation et la culture. Même si elle semble avoir accepté les deux notions de culture, la notion restrictive et la notion globale. Pour les Commissaires québécois en effet, la notion restrictive de la culture coïncidait avec l'éducation; la notion globale était considérée, par contre, comme étant un concept éminemment politique.

Pour ce qui a trait au ministère québécois des Affaires culturelles, disons qu'il a été fondé en 1961 et qu'il doit « favoriser l'épanouissement des arts et des lettres dans la province et leur rayonnement à l'extérieur » (S.R.Q. 1964, ch. 57, article 2). Le budget du ministère était pour l'année fiscale 1970-71, de l'ordre de 17 millions de dollars. Il faut dire qu'il y a, même au Québec, une trentaine de lois culturelles, mais pas autant d'organismes culturels, l'organisation publique culturelle étant très centralisée et très centralisatrice. Mais la loi et l'organisme culturels les plus importants du Québec sont, à ne pas en douter, la Loi et le

Ministère de l'Education, dont le budget dépasse désormais le milliard de dollars par année fiscale. Les buts dudit ministère sont ainsi décrits: « Le ministre (de l'Education) a la responsabilité de promouvoir l'éducation, d'assister la jeunesse dans la préparation et l'orientation de son avenir et d'assurer le développement des institutions d'enseignement » (S.R.Q. 1954, ch. 233, article 2).

Le contexte Québec-Ottawa dans le domaine de la culture se présente donc concrètement de la façon ainsi décrite. Et la constitution canadienne? Mais la constitution canadienne, justement, a-t-elle empêché et empêche-t-elle les Québécois d'être culturellement eux-mêmes? L'on sait que l'Acte de l'Amérique du Nord Britannique de 1867, qui est le document constitutionnel canadien fondamental, a attribué le domaine de la fonction « éducation » à la juridiction exclusive du pouvoir « provincial ». L'on sait, aussi, que les seules exceptions « culturelles » à cette attribution sont spécifiques, le pouvoir fédéral ayant juridiction exclusive dans les domaines des brevets d'invention et des droits d'auteur. L'éducation, ça ne veut pas dire, mais alors pas du tout, seulement instruction. Ça veut dire aussi, et surtout peut-être, culture. C'est tellement vrai que l'article 93 de l'AANB, qui attribue le domaine de l'éducation exclusivement au pouvoir « provincial », a fortement imposé, dans certains contextes bien spécifiques, des limites audit pouvoir, afin de protéger les droits et privilèges des écoles confessionnelles et séparées, catholiques et protestantes. Pour les pères de la Confédération canadienne, éducation et religion étaient plus ou moins synonymes. Or, il se trouve que la religion constitue un élément important de toute culture nationale.

Si d'« autres » donc s'occupent, depuis tout récemment il faut bien le souligner, de culture chez nous, et ce, très considérablement, le Québec ne peut s'en prendre qu'à lui-même, puisqu'il a possédé et possède tous les pouvoirs constitutionnels, à ce sujet (avec, bien sûr, tous les accommodements nécessaires que tout régime fédératif normal comporte inévitablement).

Pour ce qui a trait à l'aspect international du domaine de la culture, l'AANB de 1867 est muet à ce sujet, et pour cause, la fédération canadienne étant, à cette époque-là, un peu plus qu'une colonie. Il y a bien sûr, une sentence du Comité judiciaire du Conseil privé, de 1937, mais il s'agit d'une sentence d'une qualité douteuse (comme plusieurs sentences du Conseil privé, d'ailleurs, dont l'interprétation orientée de l'AANB a été on ne peut plus rocambolesque, c'est le moins qu'on puisse en dire). Et puis, cette sentence a été mal interprétée. En effet, à la question quant à savoir si le fédéral pouvait appliquer au Canada des conventions internationales sur des sujets qui ne ressorfissent pas spécifiquement à sa compétence (les relations de travail), les juges ont répondu: non! S'il y a eu des « exursus », ça n'a pas d'importance. Les juges ne peuvent pas aller « ultra petita », ou, s'ils le font, tout ce qui ne fait pas partie intégrante de la décision n'a absolument aucune valeur. D'ailleurs, les juges ont-ils recommandé, tout au plus, au sujet du domaine international au Canada, une certaine « coopération » entre les pouvoirs souverains du pays. Il y a, bien sûr, les Lettres Patentes de 1947, par lesquelles Sa Majesté le Roi Georges VI a autorisé le gouverneur général à « exercer tous les pouvoirs et attributions dont nous sommes validement investis à l'égard du Canada. » Mais là encore, il ne s'agit pas d'une objection de taille, puisque, même en admettant que le domaine international fasse partie de la prérogative royale, celle-ci n'est-elle pas divisée entre les pouvoirs souverains du pays, au même titre que la compétence législative, selon l'esprit même de l'AANB?

Quatre Etats fédéraux importants, l'Union soviétique, les Etats-Unis, la Suisse et l'Allemagne n'accordent-ils pas, en partie et à certaines conditions, une certaine personnalité internationale à tous ou à certains de leurs Etats membres? Le droit international et la coutume internationale ne s'opposent pas, de plus, à ce qu'un Etat membre d'une fédération ait une certaine personnalité internationale.

On pourrait citer l'Antiquité, le Moyen Age et la Renaissance, caractérisés politiquement par une pléiade d'entités politiques jouissant, de façon égale ou inégale, peu importe, de la personnalité internationale. Comme quoi, la communauté et le droit international n'existent pas seulement depuis 1648, comme ont tendance à penser ou à croire ou à faire croire certains juristes.

Et même après les traités de Westphalie de 1648, qui créaient ou reconnaissaient artificiellement une égalité artificielle entre les Etats souverains de l'époque, la personnalité internationale a été ou est reconnue à des organisations pas nécessairement ou parfaitement étatiques, telles que le Vatican, les Etats protégés et vassaux d'autrefois, les Etats particuliers du Reich de 1871, les Etats membres de la République de Weimar de 1919, ou aux insurgés, aux rebelles, aux institutions internationales et, paraît-il, à l'Ordre souverain de Malte.

Il y a, bien sûr, le problème de la « responsabilité » internationale, mais il s'agit d'un problème qui implique tout simplement un minimum de coordination, à ce sujet, entre l'Etat central et les Etats membres d'une fédération.

Le projet de la convention internationale de Vienne à ce sujet reconnaissait, d'ailleurs explicitement, une certaine personnalité internationale aux Etats membres d'une fédération, à certaines conditions bien entendu. La Convention de Vienne de 1969, sur le droit des traités, n'en parle plus (à cause, paraît-il, des objections formulées à ce sujet par le gouvernement canadien), mais cette convention ne peut aller à l'encontre de la coutume internationale qui accorde « ipso jure » la personnalité internationale à toute entité politique qui l'exerce effectivement.

Mais qui peut vraiment priver le Québec d'avoir une « certaine » personnalité internationale, si le Québec en veut réellement une? Le Québec pourrait et devrait élaborer davantage sur la distinction à faire dans le domaine international entre **relations internationales et politique étrangère.** Ou entre Etats à capacité internationale normale et Etats à capacité internationale restreinte, ou encore entre les concepts de capacité juridique internationale et capacité d'agir internationale. Dans le domaine des relations internationales, le Québec a un « dossier » tellement bon, qu'on se demande comment il se fait qu'il ne réussisse pas à obtenir des « choses » concrètes à ce sujet.

Soulignons, enfin, qu'il est fort probable que la distinction entre droit international public et droit international privé s'estompe un peu à la fois, et ce étant donné l'importance de plus en plus grandissante de l'action autonome des personnes physiques et des personnes morales privées dans le domaine international. Ce serait là un juste retour à nos origines! A un authentique et global « Jus gentium » dont les divisions internes n'auraient qu'un intérêt plutôt académique ou pratico-pratique.

Le contexte culturel québécois

Pour ce qui a trait aux autres éléments du contexte québécois, rappelons brièvement qu'il y a toujours eu de « nouveaux » immigrants, depuis que le monde existe. (L'homme n'est-il pas, en effet, un éternel émigrant?) Et les immenses problèmes soulevés par leur présence sur des terres habitées par de « vieux » immigrants ont été quelquefois résolus par des victoires ou des défaites, ou par des compromis. Toute victoire, si « victoire » il y a eu, a toujours été la victoire de la ou des cultures de qualité supérieure. Ce qui constituait, dans le fond, une victoire pour tout le monde. De toute façon, **le « choc » des cultures a toujours été bénéfique,** que je sache.

Il y a toujours eu et il y a des nations qui ont été ou sont politiquement désunies ou dominées, mais ça ne les a jamais empêchées d'être culturellement à la fine pointe des arts, (par exemple, il suffit de penser aux Grecs de l'Antiquité, aux Flamands et aux Allemands du Moyen Age, aux Italiens de la Renaissance). Il y a eu et il y a des Etats bilingues ou plurilingues, mais ça n'a jamais empêché des nations englobées dans ces Etats d'être culturellement elles-mêmes (il suffit de penser aux différentes nationalités faisant partie du cosmopolite Empire Romain ou de l'Empire des Habsbourg ou de l'Empire Turc; à la Gaule et à l'Angleterre qui ont été au moins bilingues pendant des siècles; ou aux différents groupes culturels de la Belgique et de la Suisse d'aujourd'hui, caractérisées, on le sait, par la coexistence de deux ou de plusieurs unilinguismes).

Il y a toujours eu et il y a encore des langues dominantes: il y a eu le grec, le latin, le français et il y a aujourd'hui l'anglais qui fait figure de langue dominante (mais les Américains parlent-ils vraiment anglais? Ou ne sont-ils pas en train de « polluer » l'anglais qui, précisément parce que langue pratiquement internationale, est potentiellement polluable? A moins qu'elle ne devienne une langue culturellement internationale, ce qui n'est pas sûr. N'a-t-on pas recours, de nos jours encore, à des gréco-latinismes pour « inventer » des néologismes?). Mais est-ce que cela a empêché d'autres nations, linguistiquement différentes, d'avoir des cultures florissantes? (Aujourd'hui l'anglais, demain le russe et un jour le québécois? Et pourquoi pas? De toute façon ça n'empêchera pas la floraison des autres cultures nationales qui deviendront de plus en plus nombreuses).

Il y a toujours eu et il y a encore de grandes nations et de petites nations, mais a-t-on jamais pensé à la puissance culturelle des « petites » nations? Fait qui n'est pas étonnant en soi, la qualité de toute élite étant spécifiquement intellectuelle et morale. Son rôle étant d'assumer et de définir le choix culturel de son peuple.

Or, tout peuple, qu'il soit quantitativement grand ou petit, a la possibilité de choisir, consciemment et inconsciemment, sa culture. Et ce n'est que dans la mesure où il choisit d'être culturellement lui-même qu'il n'est plus, qualitativement, un petit peuple. Il appartiendra, dès lors, à son élite d'assumer et de « définir » cette culture particulière.

S'il y a élite et si cette élite exerce son rôle historique et naturel, la puissance culturelle d'une nation ne dépend plus alors de son nombre.

A-t-on oublié la domination culturelle des Grecs sur les Latins qui les contrôlaient politiquement et économiquement? A la domination séculaire du latin alors que l'Empire Romain n'existait plus? Au triomphe de l'anglais sur le français en Grande-Bretagne, ce qui sanctionnait la supériorité culturelle de l'élite et du peuple anglo-saxons sur l'élite et le peuple normands, même si les premiers avaient été politiquement et économiquement vaincus et dominés par ces derniers? Au triomphe, en France, de la langue des « vaincus », le français des Gaulois, sur la langue des « vainqueurs », le germanique des Francs et le scandinave des Normands? A la domination culturelle de la France, alors qu'elle n'était pas la première puissance mondiale, politiquement et économiquement parlant? A la merveilleuse, mystérieuse et continuelle éclosion des particularismes culturels dont parle Lévi-Strauss? A l'influence considérable, par exemple, qu'a pu avoir, au début de notre siècle, un auteur norvégien, rejeton d'un petit pays nordique presque perdu dans l'histoire européenne, Ibsen en l'occurrence, dans toute la littérature mondiale? Ou au prestige d'un auteur guatemaltèque contemporain, Asturias, citoyen d'un très petit pays aux énormes conflits et problèmes internes et externes?

Un problème essentiellement « culturel »

Dans un autre ordre d'idées, a-t-on oublié que les Québécois vivent, économiquement, beaucoup mieux que n'importe quelle autre nation « civilisée » du monde, à quelques exceptions près? Et pourtant ... et pourtant le problème est « culturel » au Québec! Les Québécois se sentant, c'est-à-dire, des « locataires » et non pas des « propriétaires », se sentant donc, culturellement, peuple et non pas élite (cette prise de conscience, combien originale et puissante, même si elle démontre une certaine confusion dans l'actuelle situation culturelle québécoise, est très symptomatique et indique qu'on s'achemine tous ensemble vers le **« début d'un temps nouveau »** au Québec, comme l'a si bien dit, en paroles et en musique, Stephane Venne).

Bref, s'il y a des ennemis à combattre et s'il y a des idéaux à promouvoir au Québec, c'est à la nouvelle élite culturelle québécoise que cette tâche incombe. Le peuple québécois, dont est issue la nouvelle élite culturelle du Québec, ne fera qu'emboîter le pas, à son tour cette fois-ci.

Les ennemis du peuple québécois ce n'est plus le climat, qu'il a pleinement assumé; ses faux idéaux et ses faux ennemis, ce sont les ennemis et les idéaux créés par sa classe dirigeante d'autrefois, c'est sa crainte, sa peur séculaire d'être lui-même, autrement dit, tout ce qui entretient, au Québec, le statu quo culturel.

CHAPITRE III

La véritable langue nationale des Québécois

« Ce qui manque au Canada, c'est d'avoir une langue à lui. Si nous parlions iroquois ou huron, notre littérature vivrait »
Octave Crémazie, en 1867

L'idéal, lointain, des Québécois, c'est de devenir, un jour, un peuple-élite. L'idéal, moins lointain et plus aisément réalisable, des Québécois, ce à quoi ils n'ont jamais renoncé, ce à quoi ils croient de plus en plus, c'est la promotion de leur véritable langue nationale à eux, qui leur appartient à jamais. C'est leur bien le plus précieux, le plus inaliénable et le plus indivisible qui soit, c'est leur plus belle création collective. Et cela se comprend facilement, puisque la langue est le langage fondamental et essentiel, ou « la forme » par excellence, ou le langage « principal », de toute culture nationale « intéressante » (mais c'en n'est pas le seul langage, puisqu'il peut y avoir d'autres éléments fondamentaux et essentiels, même si « secondaires », dans chaque culture nationale, comme par exemple, la religion, la race, la nourriture, les gestes, le folklore, l'habillement, les mythes, etc.)

La dichotomie nation-langue

Pourquoi les Allemands, les Japonais, les Italiens, les Français et les Anglais, par exemple, parlent-ils et écrivent-ils l'allemand, le japonais, l'italien, le français et l'anglais? Pourquoi d'ailleurs, des non-Allemands, des non-Japonais, des non-Italiens, des non-Français et des non-Anglais parlent-ils et écrivent-ils l'allemand, le japonais, l'italien, le français et l'anglais? Pourquoi, aussi, des Allemands, des Japonais, des Italiens, des Français et des Anglais parlent-ils et écrivent-ils des langues autres que l'allemand, le japonais, l'italien, le français et l'anglais? Pourquoi, enfin, des Allemands, des Japonais, des Italiens, des Français et des Anglais finissent-ils, un jour, par ne plus parler et écrire l'allemand, le japonais, l'italien, le français et l'anglais?

Pourquoi donc, dans ce monde, y a-t-il eu, y a-t-il, et y aura-t-il des milliers de langues parlées et écrites par des milliers de groupes humains?

On peut, évidemment, se poser d'innombrables questions à ce sujet. Et on peut y apporter de nombreuses réponses. Et les questions et les réponses pourraient nous convaincre davantage, d'une façon on ne peut plus claire, de l'éternel chaos qui règne depuis toujours dans la jungle humaine.

Et pourtant dans ce chaos qui règne souverainement dans cette jungle humaine, il y a cependant une certaine logique et un certain ordre, une certaine harmonie donc. Car, et ceci me semble la question fondamentale à poser au sujet des langues, comment se fait-il qu'il n'y ait pas de langues personnelles et de langue universelle, dans les sens précis des termes, dans ce monde à nous? (Chaque individu a évidemment sa façon bien à lui de parler et d'écrire, mais la langue qu'il parle et écrit coïncide toujours avec une langue nationale). Comment se fait-il, en d'autres termes, que ce soit toujours des groupes humains qui parlent et écrivent une langue plutôt qu'une autre, ou s'ils en parlent et écrivent plus d'une, comment se fait-il que ces groupes humains opèrent, d'une certaine façon, une hiérarchie certaine entre les langues qu'ils parlent et écrivent?

La réponse me paraît on ne peut plus évidente: la langue, qui est le langage humain qui devient de la parole et de l'écriture, est la création la plus originale qui soit d'une nation, d'une société de personnes c'est-à-dire ayant en commun une culture collective-générale, à savoir une façon spéciale de vivre et de penser qui lui est propre (on ne parle pas ici des dialectes, des langues « spéciales », comme l'argot, et des langues « mixtes », comme le sabir, car ces « langues » sont des sous-produits linguistiques locaux, professionnels et mélangés d'une ou de plusieurs langues nationales ou sont des néo-produits linguistiques qui préparent une ou plusieurs nouvelles langues nationales. On ne se préoccupe pas non plus de savoir quelles sont les différences entre la langue humaine et le langage des animaux, des choses et des machines. Mais on peut bien conclure, avec Descartes, qu'il « est permis de prendre le langage pour la vraie différence entre les hommes et les bêtes. » Cette phrase a été rapportée par Chomsky dans son livre « La linguistique cartésienne ». Il faut dire, cependant, que si les hommes sont différents des animaux, ils n'en sont pas nécessairement supérieurs. Il est à se demander si Descartes avait bien fait de choisir le mot « bêtes » en parlant des animaux. A moins qu'à son époque, ce mot ne signifiât autre chose! Jacobson dit la même chose que Descartes, lorsqu'il affirme: « Le langage c'est réellement les fondations mêmes de la culture »).

Vouloir nier le fait que la langue est le produit d'une nation, équivaut, à toutes fins pratiques, à renoncer ou à refuser d'expliquer le pourquoi et le comment relatifs des langues. Le concept de « communauté linguistique », dont parlent les linguistes modernes, comme par exemple Wartburg, pour « décrire » les langues communes, n'a aucune valeur scientifique. Il ne faudrait pas trop s'en étonner, car les linguistes modernes sont des techniciens, effrayés, entre autres choses et à juste titre à vrai dire, par les mots race et racisme, même s'il est cocasse de penser que des linguistes se laissent troubler par des mots. Ah! si les linguistes modernes étaient aussi des philosophes et des poètes! De toute façon, la nation et le nationalisme, tels que nous les entendons, n'ont absolument rien de racial.

Le problème à ce sujet n'est pas de savoir si ceux qui parlent français à la française ou de façon « universelle », forment ou ne forment pas une communauté linguistique. Le problème à ce sujet est de savoir par qui, pourquoi et comment le français a-t-il été créé? Lorsque Sapir nous dit qu'une langue commune est le produit du « travail gigantesque et anonyme de générations inconscientes », il s'approche de la réponse. Mais ces générations sont aussi conscientes et ont un nom, celui de nation.

Si la nation est un groupe d'hommes et de femmes qui s'unissent parce qu'ils ont en commun le fait de vivre et de penser d'une façon spéciale, et cela est dû non seulement au hasard et à la nécessité, mais surtout à un choix, il s'ensuit inévitablement que cette nation se doit de créer, inconsciemment et consciemment à la fois, un instrument collectif de communication et d'expression, et ce précisément pour « mieux » vivre et « mieux » penser ensemble, pour réaliser entre eux la plus parfaite intercompréhension.

Si une personne peut vivre et penser dans un contexte complètement isolé (mais s'agit-il d'une hypothèse plausible ou pas plutôt farfelue?), il se pourrait très bien que cette même personne sente et/ou ne sente pas le besoin de créer une langue qui lui soit propre. De toute façon, les cas très exceptionnels et très personnels ne nous concernent pas.

Mais si un individu vit en société, le hasard, la nécessité et le choix surtout feront qu'il finira par s'identifier à une nation, dont il assumera la langue et à la création de laquelle il participera avec les autres, qui auront avec lui et en commun une culture collective-générale, et ce inconsciemment et consciemment. Mais il ne pourra pas, même s'il le voulait, créer avec les autres, avec tous les autres, une langue universelle, ni inconsciemment, ni consciemment, ni inconsciemment et consciemment à la fois (la faillite de la dernière tentative à cet effet, de l'espéranto précisément, nous le prouve une fois de plus).

C'est pourquoi la langue commune de toute nation, la langue nationale c'est-à-dire, est le produit exclusif de la nation. Les deux concepts sont absolument indissociables. Il y a nation là où il y a langue nationale et il y a langue nationale là où il y a nation. (Dans le **mandat** de la Commission Laurendeau-Dunton, on disait, d'une certaine façon, la même chose, puisqu'on avait associé très étroitement les mots bilinguisme et biculturalisme. Or il se trouve qu'à cette époque-là, en 1963, on était parti de la conception globale et collective du mot culture. Dans le mandat, on parle, entre autres et noir sur blanc, de « deux peuples ». Le fait que les deux termes bilinguisme et biculturalisme fussent ainsi associés dans le mandat d'une commission « royale », est très important, puisque le mandat d'une pareille commission contient souvent, même si de façon quelquefois embryonnaire, le point de vue officiel sur un sujet déterminé du gouvernement qui a institué ladite commission. Alors que les recommandations éventuelles des membres d'une commission royale n'ont aucune valeur « officielle », même si elles jouissent, presque toujours, d'une réputation certes considérable, mais de nature, cependant, strictement personnelle).

Que d'autres nations, ou que certains hommes d'autres nations, emploient des langues non-nationales, que, par exemple, les Anglais ou des Anglais emploient le français, ça n'enlève rien, absolument rien, au fait essentiel que le français a été créé par la nation française, que le français c'est-à-dire est la création culturelle la plus originale des Français. Ça pourra signifier tout au plus, que le prestige et la qualité de la langue française sont reconnus au-delà de ses « frontières » nationales. Que les Français ou des Français, de plus, parlent et écrivent d'autres langues, l'anglais par exemple, ça veut dire tout simplement qu'ils désirent participer davantage, même si partiellement, à la vie et à la pensée de la communauté œcuménique.

Mais le français et l'anglais deviennent, dans ces cas-ci, des langues « étrangères » ou « internationales » ou « officielles », et non pas des langues bi-nationales ni des langues universelles, puisqu'il ne peut y avoir qu'une langue nationale par nation et puisqu'il n'y a pas de langue universelle, du moins « à date ». (De toute façon, si une langue universelle était possible, elle ne pourrait être qu'« une ». Du moment en effet où deux langues sont apparemment universelles, elles peuvent être, tout au plus, internationales, pas plus).

Du moment où une nation emploie deux langues, ou elle fait d'elle-même sa propre hiérarchie entre ces deux langues, ou elle sera portée à en garder ou à en privilégier ou à en choisir une, en cas de graves conflits à ce sujet, ou à en créer une autre, et à créer, par conséquent, une « nouvelle » nation, de la façon la plus conforme à ses intérêts culturels (ou à ses « nouveaux » intérêts culturels). Car une nation ne peut continuer à exister ou ne peut commencer à exister que dans la mesure où elle s'exprime et communique dans une seule langue commune, dans sa langue nationale, puisque, logiquement, une nation ne peut pas avoir deux langues communes.

Un autre exemple, cette fois-ci banal, et pour cause: tout le monde mange de la pizza, mais la pizza n'en demeure pas moins un produit du « folklore » italien. Le Chinois qui mangerait de la pizza ne deviendrait pas pour autant Italien ni la pizza chinoise. Si la pizza, par contre, devait substituer le riz comme nourriture essentielle des Chinois, elle ne serait plus de la pizza italienne, mais elle deviendrait, par la force des choses, un « nouveau » produit du « folklore » chinois. Et il faudrait, alors, me semble-t-il, lui choisir un nouveau nom.

Cet exemple, toutefois, est dans sa banalité même assez important pour nous faire mieux comprendre l'originalité de la nation et de la langue nationale. N'importe quel Japonais, au Japon, pourrait peut-être, manger et s'habiller comme un Américain, mais n'importe quel Japonais, au Japon, ne pourra jamais parler et écrire l'américain comme un Américain. La langue nationale est véritablement la création la plus originale de chaque nation, parce qu'elle est la « forme » de sa pensée et de sa vie, ce qui fait que les différentes étapes de la « formation » de cette pensée et de cette vie constituent l'essentiel de la nature et de l'histoire de chaque nation. L'hypothèse de Vendryes, selon laquelle « un » Japonais qui émigrerait en France deviendrait, par la force des choses, français ou, si pas lui, ses enfants, est une hypothèse qui n'a aucun fondement scientifique. Car l'hypothèse qu'aurait dû envisager Vendryes aurait été, me semble-t-il, de considérer ce qui se produirait, si « un » million de Japonais décidaient, un jour, d'émigrer en même temps en France.

A cause de la langue nationale, qui lui est propre, la nation est par conséquent l'« organisation » culturelle la plus naturellement et la plus historiquement originale qui soit. Plus originale que la famille et la communauté œcuménique, car à la différence de ces deux dernières, qui sont pourtant des « organisations » très culturelles, elle seule possède une langue commune, la langue nationale c'est-à-dire. La langue familiale, c'est la langue d'une nation qu'une famille fait sienne. La ou les langues les plus apparemment universelles, c'est la ou les langues d'une ou plusieurs nations de

prestige, langues qui deviennent par le fait même étrangères ou internationales ou officielles selon la perception ou
l'utilisation qu'on se fait d'elles. Mais il faut dire que
plus une langue nationale devient internationale, plus elle
s'approche de son apogée, davantage elle s'approche de sa
« fin », ou, pour être plus précis, elle devient davantage
« fractionnable ». C'est pourquoi le français et l'anglais
sont, par exemple, fractionnables, puisqu'ils sont des langues internationales. Au sujet de l'anglais, la situation paraît encore plus sérieuse, parce que comme dit Sapir « il est
à peu près décevant de savoir que l'influence générale de
l'anglais, en fait de culture, est jusqu'à présent négligeable »
(mais il faut prendre cette conclusion « cum granu salis »).

La famille, la nation et la communauté œcuménique sont
donc les trois « organisations » les plus culturelles qui
soient, car elles sont les organisations humaines les plus
naturelles et les plus historiquement permanentes. Ce sont
les seules organisations dont on ne peut pas, on n'a jamais
pu, et on ne pourra jamais connaître l'acte de naissance et
l'acte de décès.

Au contraire, les autres organisations, telles que l'Etat, les
sociétés commerciales, les associations sportives, par exemple, sont, de ce point de vue, des organisations artificielles
et historiquement temporaires, donc des organisations moins
culturelles.

C'est pourquoi, la vie « normale » d'un être humain doit se
faire à l'intérieur d'une famille « normale », d'une nation
« normale » et de la communauté œcuménique « normale ».
Ou, si l'on préfère, pour être un citoyen du monde « normal », il faut absolument avoir une famille « normale » et
une nation « normale ». Et une nation « normale » c'est
une nation qui a une « forme », une langue nationale dont
elle est fière et orgueilleuse (de ce point de vue, Saint-

Denis-Garneau n'avait pas compris, lui qui pourtant avait dit que « le mot contient toute une culture », que pour être « homme » il fallait aussi et surtout appartenir, fièrement et orgueilleusement, à une famille et à une nation).

L'Etat, avons-nous dit, est une organisation artificielle et historiquement temporaire. Mais il est davantage artificiel lorsque sa langue « officielle » ne coïncide pas avec la ou les langues des nations qu'il englobe; il est, par conséquent, moins artificiel, dans la mesure où sa ou ses langues officielles s'identifient à la langue ou aux langues des nations qu'il englobe. Car c'est seulement ainsi que ses « citoyens » seront de moins en moins « artificiels » et de plus en plus « naturels ».

De ce point de vue, l'Etat peut et doit avoir des fonctions, très précises à ce sujet, s'il veut super-exister et non seulement sous-exister (s'il épouse ou n'épouse pas le destin naturel de la nation ou des nations qui demeurent sur son territoire). Dans son intérêt, car toute langue nationale, une fois qu'elle est devenue nationale, « s'impose » d'elle-même à ses membres et aux autres et ne court aucun risque de disparaître.

Si une langue nationale disparaît, c'est que la nation en question a décidé de s'en débarrasser, et ce pour des raisons presque toujours essentiellement internes. Comme les Gaulois, ces Celtes indignes, qui renoncèrent à leur langue nationale (où, parait-il, l'écriture avait une importance secondaire...) et assumèrent la langue des conquérants, qui étaient pourtant quantitativement minoritaires, le latin. Mais le peuple gaulois s'est vengé, d'une certaine façon par la suite, de la trahison de son élite, en créant le français et en l'imposant, avec l'aide de sa « nouvelle » élite, à ses nouveaux conquérants, les Germains et les Scandinaves, qui eux aussi étaient quantitativement minoritaires. Ce qui veut dire que dans ce contexte-là, la qualité du latin fut perçue comme étant supérieure à la qualité du gaulois, mais que par contre la qualité du français fut perçue comme étant supérieure à la qualité du germanique et du scandinave.

L'Etat, de plus, peut et doit avoir des fonctions encore plus précises et plus urgentes dans des contextes culturels perçus comme étant on ne peut plus « dramatiques ».

Le recours à l'Etat

Les Québécois ont plus ou moins résolu leurs problèmes familiaux. Ils n'ont pas encore résolu leurs problèmes nationaux. Ils n'ont pas encore, par conséquent, de véritables problèmes universels intéressants.

Comment dénouer ce nœud gordien qui empêche les Québécois d'être des individus on ne peut plus normaux? Tout d'abord par la prise de conscience de l'élite québécoise du fait combien indéniable qu'il y a une nation québécoise et donc une langue québécoise. La lourde tâche de l'élite québécoise, c'est de saisir cette langue, c'est de l'assumer, c'est surtout de la définir. C'est de rendre la langue québécoise, langue prioritaire au Québec (qu'elle coïncide, à toutes fins pratiques, avec le français universel ou avec le vulgaire ou le joual illustre, c'est un problème fondamental et essentiel mais ni prioritaire ni urgent à l'heure actuelle), c'est d'en faire en somme la langue nationale du Québec et des Québécois. Et ce bien sûr, après que la « bataille » contre l'anglais ne se sera terminée qu'avec la « victoire » du français, ce qui me paraît combien inévitable.

Trois siècles d'histoire québécoise nous témoignent d'une façon combien évidente de cette volonté des Québécois non seulement de ne pas renoncer à leur véritable langue nationale, mais de la rendre surtout plus conforme à leur destin culturel. Les Québécois nous démontrent, tous les jours et une fois de plus, que la « lingua del cuore » prime toujours sur la « lingua del pane » ou qu'il n'y a pas nécessairement de contradictions entre elles. C'est pourquoi, on ne saurait accepter la thèse de Martinet, selon qui toute langue commune est le produit de la loi du moindre effort. Au contraire, lorsqu'une nation crée une nouvelle langue, elle refuse toute facilité, préoccupée comme elle l'est de se différencier de la façon la plus originale possible des autres nations.

Ceux qui sont préoccupés par l'anglicisation du Québécois devraient comprendre qu'une langue ce n'est pas seulement une question de lexique, mais aussi et surtout une question de phonétique, de morphologie et de syntaxe, comme l'avait si bien remarqué Gramsci. Ce qui fait, par exemple, que l'anglais, dont pas mal de mots sont d'origine latine, est une langue germanique et que le roumain, dont pas mal de mots sont d'origine slave, est une langue néo-latine. Un autre exemple nous est donné par Vendryes, lorsqu'il nous apprend que « dans l'ourdou littéraire (une variété de l'hindoustani), on trouve des phrases entières où la grammaire seule est indienne, et où les mots sont persans du commencement à la fin ». C'est pourquoi l'ourdou littéraire n'est pas, à proprement parler, du persan. Ce qui veut dire que dans la mesure où les Québécois québecquiseront leurs anglicismes, il n'y aura pas de sérieux problèmes à ce sujet. (D'ailleurs, certains mots présumément anglais, comme snobisme, re, item, a.m. et p.m. sont des latinismes!) Si les Québécois, par contre, ne veulent pas québecquiser leurs anglicismes, ça voudra dire tout simplement que leur nouvelle langue nationale sera à la fois néo-française et néo-anglaise. Qu'on cesse donc, une fois pour toutes, de répéter le cri grotesque de Tardivel, de 1880: « L'anglicisme, voilà l'ennemi! »

Par quels moyens faut-il valoriser la langue québécoise? En

ayant recours au puissant levier qui appartient aux Québécois, l'Etat du Québec, qui est l'institution globale de la nation québécoise. Pour qu'il élabore et réalise une politique culturelle axée sur la langue québécoise comme langue nationale au Québec. Si l'Etat du Québec, bien entendu, veut super-exister et s'identifier davantage avec ses citoyens. S'il veut être, donc, le moins artificiel possible et le plus naturellement et historiquement culturel possible. Et surtout, s'il veut dédramatiser une situation linguistique perçue, à tort ou à raison, comme étant on ne peut plus angoissante.

Depuis 1961, les ministres des Affaires culturelles du Québec ont revendiqué, pour le Québec, l'exclusivité totale ou essentielle dans ce domaine. Depuis toujours, les premiers ministres du Québec ont parlé de la culture québécoise et de sa spécificité. Le temps est venu de passer à l'action.

L'apparition de la nouvelle élite culturelle québécoise est le stimulant dont l'Etat du Québec avait besoin. Mais il ne faut pas hésiter trop longtemps, car le peuple québécois, devant cette hésitation, qu'il pourrait interpréter comme **une trahison**, pourrait être porté au divorce avec son élite, à faire donc un nouveau choix, cette fois-ci bien autrement final, entre l'anglais et le français, en la faveur du premier.

Faudrait-il rappeler, à ce sujet, la « mauvaise » habitude historique des Normands de ne jamais avoir été capables d'assimiler la culture des élites et des peuples conquis mais plutôt de se faire assimiler par ceux-ci (exemples: leur francisation en France, leur anglicisation en Grande-Bretagne, leur italianisation en Italie, et leur russification en Russie).

Mais il n'y a pas, à proprement parler, de danger immédiat. Tout d'abord parce que les Normands de chez nous se sont québecquisés. Deuxièmement, parce que nous avons eu l'exemple le plus étonnant qui soit à ce sujet, en 1968, lorsque une partie de la classe dirigeante québécoise s'est aliéné, pour ainsi dire, la partie la plus considérable de l'élite et du peuple québécois, avec l'entrée en vigueur du fameux « bill » 63. Le peuple et l'élite culturels du Québec avaient été assez solidaires dans l'affaire de Saint-Léonard.

Mais, il faut bien l'avouer, ils ne furent pas suffisamment influents pour convaincre la classe dirigeante québécoise à abandonner ou à modifier le bill 63 (ce qui démontra, entre autres, que notre élite n'était pas véritablement élite). La lutte fut cependant historiquement et naturellement importante, car elle montra que le choix historique et naturel du peuple québécois, et l'acceptation de ce choix par son élite, pour sa langue nationale étaient finals pour ainsi dire, ce qui a permis et permettra une application « québécoise » du bill 63. Et aussi, pourquoi pas, la « québecquisation » des Néo-Québécois. Les récentes statistiques temporaires à ce sujet, qui paraissent en contradiction avec ce qui précède, n'ont pas de valeur, si ce n'est qu'elles nous démontrent qu'il faut presser le pas, accélérer c'est-à-dire le cours normal de l'histoire québécoise en matière de langue.

Le besoin « viscéral » des Québécois

Le peuple a besoin de symboles pour « saisir » ses idéaux! Si à la place du français, on parlait du québécois, comme langue nationale du Québec, je pense qu'on pourrait plus facilement satisfaire cet immense besoin, ce besoin « viscéral », que le peuple québécois a de s'identifier à sa « Terre-Québec ». Pour les Québécois, en effet, le français devient de plus en plus une langue étrangère, comme la religion catholique d'ailleurs. (Le français et le catholicisme sont désormais du folklore au Québec).

Que le québécois coïncide avec le français universel ou

avec le vulgaire illustre des Québécois illustres peu importe à ce stade-ci.

Mais il ne faudrait pas oublier, cependant, les deux règles fondamentales qui dominent l'évolution mystérieuse des langues, à savoir le fait qu'il n'y a pas et il ne saurait y avoir de langues pures dans ce monde, même s'il n'y a pas de solution de continuité dans ce domaine, et que la Loi suprême à ce sujet c'est l'usage. (Pourquoi dit-on soldat en français et non plus soudard? Pourquoi emploie-t-on de nos jours des mots tels que ulcère, entamer et idéal, que Malherbe avait pourtant officiellement condamnés au 17e siècle? Même si Malherbe, paraît-il, s'inspirait du langage des crocheteurs! Que penser du père de Montaigne qui avait interdit à son fils Michel de parler français durant son enfance, à cause de la « vulgarité » du français, et ce au 16e siècle? Pourquoi avoir emprunté de l'italien une règle aussi illogique que celle du participe passé en français? Il s'agit, bien entendu, d'exemples faciles, mais ce sont des exemples clairs.) Mais il faut dire, tout de suite, que toute nouvelle langue finit par créer une « nouvelle » pureté. Dès que celle-ci apparaît, apparaissent alors les grammairiens et les puristes!

Et l'usage c'est le peuple qui le détermine et l'élite qui le formalise. Dans sa langue à lui, le peuple, c'est non seulement ses conflits et ses aspirations; c'est son âme, ses besoins, ses instincts, ses aspirations, ses idéaux les plus purs qui s'y trouvent et qui ne sauraient être trahis impunément ou à la légère. Le peuple québécois étant « comme un enfant devenu grand, avec le temps » comme le chante si bien Jacques Michel.

De toute façon le québécois finira par triompher un beau jour, car toutes les fois où un pareil problème s'est sérieusement posé, historiquement et naturellement, et il s'est toujours posé et il se posera de plus en plus, c'est toujours le vulgaire illustre qui a gagné.

Autrement les êtres humains devraient parler encore le langage des singes, ce que ne semblent pas comprendre les **pseudo-puristes** qui sont, somme toute, des « docteurs en négative » comme leur maître à penser, Malherbe plus exactement (les « puristes » se rendent-ils compte qu'ils sont en fait des « linguicides », puisque, en luttant contre l'évolution des langues, ils risquent de tuer la langue qu'ils s'acharnent plus particulièrement à défendre!)

Le québécois illustre est destiné à gagner: même s'il est à espérer qu'il continue de coïncider, à toutes fins pratiques, avec l'essentiel du français universel. Même s'il est déjà arrivé que les grammaires « vulgaires » fassent leur apparition avec un retard historique considérable. (Il suffit de penser, un seul instant, au fait que les premières grammaires françaises importantes ont été « imprimées » en Angleterre, au 14e siècle, et en France, seulement au 16e siècle!) Même s'il est déjà arrivé que la reconnaissance officielle du vulgaire arrive avec un retard impressionnant (comme en France où le français devint officiel avec François 1er au 16e siècle, alors que les Français parlaient et écrivaient le français depuis des siècles déjà).

Même s'il est déjà arrivé, dans l'histoire, qu'on défende le vulgaire dans une autre langue. Par exemple, Dante, au 13e siècle, défendit l'« éloquence » du vulgaire « illustre » en latin, ce qui démontre que ce n'était ni par paresse, ni par ignorance qu'il le défendait, mais bien plutôt à cause de sa noblesse à lui et de la noblesse du vulgaire qui méritait par conséquence d'être défendu dans n'importe quelle langue, même et surtout dans la langue « universelle » et savante de l'époque, le latin précisément. (D'ailleurs, faudrait-il se rappeler que le chef-d'œuvre de Dante, la « Comédie » qui s'appelle désormais « Divine », fut écrite en « vulgaire » et qu'elle fait encore frémir le cœur et la raison de tant de peuples et d'élites de par le monde entier? Au contraire, il n'y a que les érudits, et encore, qui lisent les œuvres « banales » écrites en latin par Dante!)

Par contre au 16e siècle, Du Bellay défendra, dans sa langue nationale, les vertus du vulgaire français. Les québecophiles, les québecophones et les québecquisants paresseux pourraient s'inspirer de Du Bellay pour « défendre » et « illustrer » les vertus du québécois. Il suffirait de mettre « langue québécoise » à la place de « langue française » dans le titre du livre célèbre de Du Bellay. Et de mettre « québécois » à la place de « vulgaire » et « français » à la place de « latin » à l'intérieur dudit texte. Et les jeux seraient faits! Il est vrai que selon le président de la République française, Du Bellay est moins grand que Ronsard.

Mais quelle est la valeur culturelle de Pompidou critique d'art? (Le seul grave problème qu'on pourrait se poser, ici, à ce sujet, serait, me semble-t-il, le suivant: y a-t-il des Québécois illustres? Le joueur de hockey, le politicien et le juge sont-ils des citoyens illustres? Les intellectuels sont-ils en voie d'être considérés comme étant illustres? Lesquels parlent le québécois illustre? Qui peut servir de modèle? De toute façon, c'est le temps, du moins je l'espère, qui se chargera de régler cet aspect du problème.)

Et que dire de Galilée qui **osa** écrire en vulgaire ses œuvres scientifiques au 17e siècle?

On ne peut trahir ce grand rêve, apparemment inconscient du peuple québécois. Albert Pelletier n'avait-il pas déjà écrit en 1931: « Et si notre patois devient trop difficile aux académiciens, eh bien, tant mieux: c'est que nous aurons notre langue à nous ».

En fait, entre le français et le québécois il y a, à peu près, la même différence qu'il y a, par exemple, entre le latin et l'italien. Et comme on le sait, l'italien c'est du latin moderne, donc ce n'est pas du latin classique, et c'est pourquoi il ne s'appelle plus latin (notons, en passant, que le « retard » de l'unité politique italienne fut dû aussi au trop grand respect, ou au respect archaïque, de l'élite italienne pour le latin classique . . .)

Et même s'il n'y avait pas tellement de différence entre le québécois et le français, pourquoi ne pas faire comme les Croates, qui appellent officiellement leur langue nationale croate alors qu'elle coïncide pratiquement avec le serbe! (Car si une langue nationale est différente d'une autre langue nationale surtout lorsqu'il n'y a pas ou il n'y a plus d'intercompréhension entre elles, elle peut être aussi différente si elle est perçue comme telle ou si elle est employée différemment, même s'il y a une certaine intercompréhension entre elles.)

D'ailleurs, les différences entre le français et le québécois sont appelées à augmenter, nonobstant les moyens de communication modernes. Car ce n'est pas vrai que le « message » est le « massage », ou si c'est vrai, c'est un mauvais massage! Ce qui veut dire que l'intention, de moins en moins inconsciente, et de plus en plus consciente, de refuser le français classique de la part des Québécois ne saurait être « nullifiée » par les mass media, mais au contraire augmentée et accélérée par ceux-ci, à cause de l'inévitable « énervement » qu'ils ont créé à ce sujet! La communication « technique » et « passive » des mass media ne crée pas de communication intellectuelle et morale. La distance qui sépare les Français et les Québécois est déjà trop grande, et devient de plus en plus grande, c'est un fait absolument indéniable. Il suffit de mettre face à face un Français « moyen » et un Québécois « moyen » pour s'en rendre compte. En effet, un Français moyen et un Québécois moyen qui parleraient entre eux ou qui s'écriraient des lettres, par exemple, auraient besoin, absolument besoin, d'un interprète ou d'un traducteur pour se comprendre comme il faut. Et cela se comprend aisément, puisque leurs cultures nationales sont différentes. Au contraire, un Québécois moyen n'aura aucune difficulté sérieuse à se faire comprendre et à comprendre des Québécois « pure laine ». Oui, la distance est grande entre les Québécois et leurs cousins français et comme l'a déjà dit Meillet, « il y a chance pour que deux langues parentes divergent d'autant plus qu'elles sont séparées depuis longtemps ».

Ce processus n'est pas seulement bénéfique pour les Québécois, mais aussi pour les Français et les « francophones », car la seule communauté « francophone » qui compte et qui soit valable, ce n'est pas la communauté de ceux qui parlent, pour une raison ou pour une autre, français, mais la communauté de ceux qui aiment le français, à savoir la communauté francophile.

Autrement la francophobie des Québécois ne fera que s'accroître, et ce ne sera pas seulement le français qui perdra chez nous, mais aussi les francophones et les francophiles.

La proclamation du québécois comme langue nationale chez nous rendrait les Québécois très naturellement des francophiles, car il n'y aurait plus raison de se chicaner avec nos cousins d'outre-mer. La « francophilie » est autrement plus importante que la « francophonie ».

D'ailleurs, le concept même de la francophonie est nébuleux. Tout d'abord, est-ce du « bon » français que de parler de gouvernements francophones? Si l'on s'en tient à Descartes, il n'y a que les hommes qui « parlent ». Mais il s'agit, de toute évidence, d'un sujet particulier qui n'intéresse que les puristes. Les Africains « francophones » sont-ils, culturellement, francophones? Si oui, la reine d'Angleterre est, culturellement, francophone, puisqu'elle parle, et bien, le français! Les Africains francophones, ou du moins la petite minorité des Africains parlant français, ne parlent-ils pas français tout simplement pour des raisons pratiques et snobs, parce que pour eux, en définitive, le français est, tout au plus, une langue internationale ou officielle?

Soyons sincères: qu'y a-t-il de culturellement semblable entre les Africains et les Québécois « francophones »? Que nous soyons tous fils du même Dieu, soit! (Peu importe que ce Dieu soit en nous ou à l'extérieur de nous.) Mais, à part ça, il y a tellement de différences culturelles entre les Africains et les Québécois francophones, qu'on se demande même s'ils ont quelque chose en commun entre eux. Ce qui est, à vrai dire, combien merveilleux et pour eux et pour nous. Ce qui explique, d'ailleurs, le grand amour qui semble régner entre les Africains et les Québécois. Car on ne peut pas ne pas aimer (ou s'intéresser grandement à) tout ce qui est culturellement différent. Ce qui est tout à l'honneur de la nouvelle culture québécoise, désormais ouverte sur le monde entier.

Le québécois, devenu officiel, aurait énormément de chances de coïncider avec l'essentiel du français universel. Ainsi les Québécois ne seraient plus forcés de parler anglais à Paris!

Comment proclamer le québécois langue nationale du Québec

La proclamation du québécois comme langue nationale chez nous c'est un rêve que l'élite culturelle est en train de promouvoir et que la classe dirigeante du Québec peut et doit réaliser, à l'intérieur et/ou à l'extérieur de l'actuelle tentative de révision constitutionnelle qui a présentement cours au pays, et ce par le truchement de la théorie du fait accompli, de la théorie du refus politique et par la théorie des dimensions géographiques.

C'est-à-dire en agissant positivement et efficacement et sans demander des autorisations et des conseils à personne d'autre qui ne soit véritablement québécois! En refusant toute intervention « étrangère » à son génie. En prenant possession de son territoire. (Robert Bourassa n'a-t-il pas affirmé ce qui suit à la Conférence fédérale-provinciale du 28 mai 1971: « Le gouvernement du Québec a la responsabilité d'assurer le progrès et le développement de l'ensemble du territoire québécois. »)

Pour ce qui a trait plus particulièrement à la forme que pourrait prendre l'éventuelle proclamation du québécois comme langue nationale au Québec, on pourrait avoir recours à une loi québécoise, qui pourrait, par exemple, se lire comme suit: « Le québécois est la langue nationale du Québec. Le québécois coïncide, à toutes fins pratiques, avec l'essentiel du français universel, et ce pour une période de 25 ans, à partir de l'entrée en vigueur de la présente loi. En cas de doute, toute question se rapportant au lexique, à la phonétique, à la morphologie et à la syntaxe du québécois, sera référée à l'Office de la langue québécoise, et ce par les moyens appropriés, établis à cette fin par la présente loi. Après avoir dûment consulté les organismes et les personnes concernés et intéressés, et après avoir fait, obligatoirement, des enquêtes, des études et des recherches à ce sujet, l'Office soumet son éventuelle décision au conseil des ministres du Québec. Toute décision de l'Office ne devient exécutoire que dans la mesure où elle est, totalement ou partiellement, approuvée par arrêté-en-conseil dudit conseil des ministres. Le français et l'anglais demeurent, pro-tempore, langues officielles du Québec. Par langue nationale, il faut entendre la langue qui a, obligatoirement, priorité par rapport aux autres langues, et ce dans tous les domaines, économique, social, culturel et politique. Par langues officielles, il faut entendre les langues de traduction obligatoirement officielles. Les modalités d'application de la présente loi seront contenues dans des règlements qui seront rendus publics, après avoir été approuvés par des arrêtés-en-conseil gouvernementaux. »

Mais pour que le tout se réalise, il faudra bien que l'élite québécoise apprenne à être élite, c'est-à-dire, il faudra bien que sa démarche soit une démarche « noble », intransigeante sur le plan de la qualité, une élite ayant le goût de l'effort, de la perfection et de l'exemple sublime.

Et l'on pourra enfin « constater » tout bonnement que ce n'est pas vrai, mais alors pas du tout, que l'esprit québécois est plus froid que le climat.

Et les Québécois, une fois résolu l'immense problème de leur langue nationale, pourront devenir, s'ils le veulent et si nécessaire, polyglottes, comme peuvent l'être tous les nordiques de ce monde et comme doivent l'être toutes les petites nations de qualité.

Notons, par contre, que ceux qui veulent défendre, à tout prix, le français chez nous, ne s'aperçoivent pas qu'en agissant ainsi ils nient toute personnalité culturelle aux Québécois, qu'ils nient aussi et surtout à la « francophonie » la capacité de créer de « nouvelles » langues et de « nouvelles » cultures. Ils prononcent, sans le savoir, et en français, ce qui est pour le moins cocasse, un sermon funèbre sur la langue française, qu'ils considèrent, sans le savoir bien sûr, comme étant déjà une « langue morte », à l'instar du grec ancien et du latin classique.

D'ailleurs, de deux choses l'une: ou le latin est une langue morte et alors toute langue peut mourir, et donc naître; ou le latin est une langue vivante, et alors toute langue peut évoluer, et de façon combien considérable.

Le problème, il faut bien le comprendre, ce n'est pas d'exalter une langue et d'en détruire une autre; le problème c'est de se rappeler, une fois pour toutes, que la tour de Babel existe depuis que le monde est monde et qu'elle ne fera que s'accroître, nonobstant l'apparente « villagisation » du monde par les moyens « ultra-modernes » de communications. (Ceux qui parlent, de toute façon, de ce phénomène, ne s'aperçoivent pas qu'ils préconisent, sans le savoir et sans le vouloir, non pas la course vers le futur, mais le retour à nos origines. Mais peut-on revenir à nos origines par des moyens techniques? A moins qu'on ne veuille retourner à un village désert et vide!)

Quant au besoin de communication, rappelons qu'il faut avant tout communiquer avec soi-même. Quant aux « autres », ou bien il faut communiquer avec tout le monde ou bien avec ceux avec qui on a des intérêts réels. Ce qui veut dire que si on voulait être logique à ce sujet, les Québécois devraient surtout parler l'anglo-canadien-américain! (Mais la logique est-elle une qualité ou un défaut québécois?) Et si c'était vrai qu'on parle seulement pour communiquer, pourquoi alors l'éternelle tour de Babel chez les êtres humains?

Communication et/ou expression?

Une langue nationale, ce n'est pas seulement un outil de communication, c'est aussi et surtout un moyen d'expression. C'est **la plus belle création culturelle** d'un peuple et d'une élite chantant à l'unisson, utilitaire (communication) et artistique (expression) à la fois!

Et la qualité d'une culture nationale dépend surtout de la

qualité de sa langue, mais ça ne veut pas dire qu'à cause de cela une culture nationale est nécessairement supérieure à une autre; ça veut dire, tout au plus, qu'une culture nationale est différente, et plus ou moins « intéressante » qu'une autre. (Et une culture nationale devient intéressante dans la mesure où elle s'identifie le plus avec sa langue nationale, si elle en est fière et orgueilleuse. Dès lors, les « autres » s'y intéresseront, ou en apprenant sa langue nationale ou en lisant, par exemple, ses œuvres littéraires en traduction. Très peu de gens en Europe occidentale connaissent le russe, mais énormément de gens connaissent et apprécient la littérature russe en traduction. Car, nonobstant Croce et le vieux dicton italien qui dit « traduttore traditore », on peut et on doit traduire des œuvres littéraires de qualité, même si la traduction n'est jamais parfaite. Qu'à cela ne tienne, même l'interprétation d'un roman russe par un Russe n'est également jamais parfaite!)

Pour que cette création collectivement culturelle devienne véritablement nationale, elle a besoin du « sceau » de l'élite. Apposer son sceau, cela veut dire de la part de l'élite rendre plus illustre et plus éloquente la langue populaire de son peuple, et ce par le truchement de sa langue littéraire, dans la mesure, bien sûr, où il y a une compréhensibilité certaine entre ces deux « langues ». Autrement, la langue du peuple reste au stade de langue « populaire » (où le contraste entre la parole et l'écriture est, de façon générale, assez considérable). Et la langue de l'élite demeure « littéraire » (où le contraste entre la parole et l'écriture est, de façon générale, peu considérable). Le seul et très grave problème qui se pose au Québec est toujours le même: l'élite québécoise parle-t-elle et écrit-elle une langue littéraire? Pour ce qui a trait à la langue populaire des Québécois, il ne fait pas de doute qu'il s'agit d'une langue très attachante.

La langue nationale, structure culturelle d'autorité et de liberté relatives, c'est le juste compromis entre la langue littéraire, structure culturelle d'autorité absolue, et la langue populaire, structure culturelle de liberté absolue. Juste compromis, ça ne veut pas dire, mais alors pas du tout compromission. Au contraire: en apposant son sceau, l'élite donne à la langue populaire de la qualité, et la qualité ne peut être qu'intransigeance, et l'intransigeance qualitative, ça n'est pas et ça ne peut pas être de la compromission! Mais la langue populaire demeure combien vivante, alors que la langue littéraire peut parfois devenir irréelle. Tout être humain est « intérieurement bilingue », utilisant l'une ou l'autre de ses langues à lui selon les cas et les circonstances. La langue littéraire et la langue populaire sont, si l'on veut, les deux volets de toute langue nationale. La langue nationale est, si l'on veut, le terrain de rencontre culturel entre l'élite et le peuple d'une nation, entre la langue littéraire de son élite et la langue populaire de son peuple.

Il faut dire, cependant, que la situation idéale serait celle où la langue littéraire et la langue populaire auraient plein droit de cité. Mais cela, bien sûr, suppose un peuple parfaitement élite. A ce stade-là, qui constitue, comme nous l'avons dit, un idéal lointain pour les Québécois, tous et chacun parleraient leur langue à eux de la façon la plus conforme, pour eux, à leur culture nationale. (En plus d'une ou de deux langues pratiquement internationales.) Mais c'est un rêve pour l'instant, et nous devons, malheureusement, revenir sur terre. (Mais il s'agit d'un phénomène qui s'applique déjà, même si partiellement, dans d'autres domaines, comme dans le domaine de la peinture, par exemple.)

Le québécois, avons-nous dit, est une langue néo-française, au même titre que le français est une langue néo-latine. S'il y a et s'il y a eu des langues néo-latines, pourquoi ne pourrait-il pas y avoir des langues néo-françaises. Ce serait tout à l'honneur de la culture française!

Si l'on ne veut plus par exemple qu'une « vente » soit « sale » au Québec, si l'on veut c'est-à-dire que la situation linguistique chez nous ne soit plus perçue comme étant dramatique, il faudra bien assumer et définir, aussitôt que possible culturellement parlant, la langue nationale des Québécois, dans l'intérêt culturel de tous, mais surtout dans l'intérêt culturel des Québécois.

D'ailleurs, pourquoi les Québécois excellent-ils dans les arts audio-visuels ou dans la peinture par exemple? Parce qu'à ce niveau-là ils n'ont pas de problème de langue! Pourquoi les Québécois n'ont-ils pas de véritable littérature? Parce qu'ils s'efforcent d'écrire en français, dans une langue c'est-à-dire étrangère à leur génie créateur. Ce qui amène Jean Lemoyne à faire la confession suivante: « J'avoue ne plus croire que nous puissions jamais rendre compte de nous-mêmes en français. » Ce qui n'est pas grave, pas grave du tout, puisque les Québécois ont de plus en plus la chance inouïe de rendre compte d'eux-mêmes en québécois. Pourquoi les Canadiens anglais n'ont-ils pas de véritable littérature? Parce qu'ils écrivent en anglais, alors qu'ils devraient écrire dans leur langue nationale à eux, le canadien, qui est une langue néo-anglaise. Pourquoi les Américains ont-ils une littérature formidable? Parce qu'ils écrivent dans une langue néo-anglaise à eux, l'américain plus exactement. Cela peut s'expliquer entre autres, par le fait que fort souvent les langues « nouvelles » sont plus modernes et plus authentiques, et que dans la mesure où on en prend conscience, elles peuvent produire des œuvres littéraires de qualité. Vendryes n'a-t-il pas déjà dit: « C'est dans les colonies (grecques) que les œuvres de civilisation, et en premier lieu la littérature, ont commencé à fleurir. » Pourquoi les Wallons et les Suisses romands n'ont-ils pas nous dit-on, de littérature « intéressante »? (N'oublions pas que les Français osent dire que Rousseau, Madame de Staël et Benjamin Constant ont été, culturellement, « donnés » à la France! Il est vrai qu'en Suisse, la position de contrôleur de train est « le rêve de beaucoup de garçons ». Moi, quand j'étais garçon, je rêvais à autre chose.)

Paul Toupin, dit-on, aurait écrit au Québec des pièces de théâtre dans un français impeccable. Mais quelle est leur valeur culturelle? Michel Tremblay a écrit en « vulgaire ». Et pourtant!

Mais enfin qu'est-ce que c'est que le québécois? Je me demande tout d'abord si d'autres nations se sont déjà posé, sérieusement, une pareille question au sujet de leurs langues à elles! (On s'est, en effet, souvent posé de pareilles questions, au sein d'une nation, au sujet de problèmes linguistiques particuliers ou après que le problème linguistique général était plus ou moins réglé). Mais même en admettant le bien-fondé de la question, et au Québec la question est bien fondée, puisque la situation linguistique est perçue comme étant dramatique, point n'est besoin de faire des enquêtes coûteuses pour savoir ce qu'est le québécois. Car, qu'on le veuille ou non, les Québécois parlent québécois depuis belle lurette. Mais comment assumer et définir le québécois illustre? Le québécois illustre, est-ce le « sermo urbanus » ou le « sermo rusticus »? Est-ce la langue de notre capitale ou celle de notre métropole? Il suffit d'aller dans les Cegeps et dans les universités, de lire les journaux et certaines œuvres littéraires, de consulter les statuts du Québec, pour savoir ce qu'est le québécois illustre. (Les statuts sont devenus, désormais des « lois », dans un effort de franciser le québécois. Mais est-ce ainsi qu'il faut s'y prendre à ce sujet? La seule solution logique à ce sujet serait de mettre sur le pavé les 95% des enseignants du Québec et de changer par conséquent le nom de la corporation des enseignants du Québec en celui plus juste de corporation ou ordre ou collège québécois des enseignants de France. A part ces conséquences qui seraient tragiques de tous les points de vue, qui se chargerait d'harmoniser les relations entre les parents des élèves, parlant québécois, et les professeurs parlant français? Et qu'adviendrait-il des élèves qui seraient forcés d'employer à l'école une langue complètement différente de la langue utilisée à la maison et dans les rues?)

Il suffirait de prendre comme exemple un ou plusieurs romans ou des poésies québécoises valables pour le « découvrir ». Les grammairiens et les puristes québécois viendront, c'est sûr, mais comme toujours, ils arrivent toujours très tard, pour décrire tout simplement une situation culturelle passée, jamais pour l'anticiper. Mais lorsqu'ils viendront, ils accompliront leur juste mission dans la mesure où ils ne se transformeront pas en linguicides.

Le problème linguistique au Québec est on ne peut plus intéressant, puisque, de toute façon, le québécois est destiné à gagner (il pourrait nous donner le « premier » exemple, officiel et important, d'une nouvelle langue nationale du monde occidental). Ceux qui veulent ignorer ce « destin », oublient que la tour de Babel existe depuis que le monde existe et qu'il y a eu et qu'il y a des centaines et des milliers de langues dans ce monde, et qu'il y en aura davantage des centaines et des milliers encore. Pas besoin, pour démontrer cela, pas besoin de déranger continuellement les « papes » de la philologie et de la linguistique modernes et anciennes! Il suffit de penser un seul instant aux langues néo-françaises, néo-anglaises, néo-espagnoles et néo-portugaises qui se parlent et s'écrivent en Amérique! On pourrait même dire que notre période historique est caractérisée par l'étonnante apparition de nouvelles plusieurs langues nationales. Ce qui est normal, car nous vivons dans une période de différenciation linguistique mondiale, à laquelle devrait suivre très bientôt une période historique d'unification linguistique à l'intérieur de chaque nouvelle langue nationale. Et puis le cycle recommencera, selon le hasard et la nécessité, mais surtout selon le choix des êtres humains.

Mais il y a un autre aspect encore plus important au sujet de la querelle linguistique au Québec et c'est que le problème linguistique au Québec, ne se résume pas, dans le fond, dans la question classique: anglais ou français? Non, le problème, le vrai problème à ce sujet se résume dans cette question autrement plus importante: français, québécois ou joual?

Toutes les batailles « canadiennes-françaises » au Québec, au Fédéral, au Manitoba, en Ontario, au Nouveau-Brunswick, les timbres-postes bilingues (en 1927), la monnaie bilingue (en 1936), les chèques bilingues (en 1962), la Loi Laberge de 1910 (qui établissait, au Québec, le bilinguisme obligatoire dans les entreprises des services publics), la Loi Duplessis de 1837 (qui accordait, au Québec, priorité à la version française dans l'interprétation des textes législatifs et des règlements. Cette loi fut cependant abrogée en 1838, à cause des pressions des « autres », mais surtout à cause du manque de caractère de nos dirigeants), la Loi fédérale de 1963, la Loi québécoise numéro 63, les mandats et les rapports linguistiques de plusieurs commissions royales au Canada et au Québec, c'est un bilan apparemment impressionnant. Mais toutes ces luttes farouches faisaient, dans le fond, abstraction de la réalité québécoise, réalité caractérisée par le fait que les Québécois parlaient et parlent une langue néo-française et, de plus, par le fait qu'ils n'étaient pas et ne sont pas anti-anglais.

Ceux qui sont inconditionnellement favorables au français universel ne s'aperçoivent pas qu'ils travaillent pour la victoire du joual! Au contraire, en luttant farouchement pour le québécois, ils auraient énormément plus de chances de combattre le « joualisation » des Québécois. Et les Québécois auraient finalement une langue qu'on pourrait traduire dans n'importe quelle autre langue y compris le français, et une langue par conséquent dans laquelle on pourrait traduire n'importe quelle autre langue, y compris le français (ça pourrait, entre autres, augmenter la popularité des films français au Québec et des films québécois en France).

Pour ce qui a trait au bilinguisme ou au multilinguisme « extérieur » (en opposition au bilinguisme « intérieur »), il s'agit de situations historiquement et naturellement normales, qui n'ont jamais empêché et n'empêcheront jamais des nations d'être culturellement elles-mêmes, si elles le veulent, bien sûr (se rappeler que les Romains « bien », et au faîte de leur puissance, étaient bilingues, ils parlaient c'est-à-dire latin et grec).

Le bilinguisme ou le multilinguisme « extérieur » est cependant un phénomène assez intéressant en soi, pour qu'on s'y attarde un peu. Par bilinguisme, ou multilinguisme extérieur, on n'entend pas, bien sûr, des situations culturelles nationales caractérisées par la coexistence de plusieurs unilinguismes nationaux (comme la Belgique, la Suisse et, pourquoi pas, le Canada). Il s'agit dans ces cas-ci de bilinguisme ou de multilinguisme « apparent » ou « officiel ».

Par bilinguisme et multilinguisme extérieur, on entend, de toute évidence, des situations culturelles nationales où des individus ou des groupes d'individus parlent assez bien plus d'une langue. Mais ces individus ou ces groupes d'individus ne parlent qu'une langue nationale. L'autre ou les autres langues qu'ils parlent, constituent pour eux des langues étrangères ou des langues internationales (bilinguisme ou multilinguisme « fonctionnel »), ou des langues officielles ou

des langues familiales (bilinguisme ou multilinguisme
« structurel »). Le tout dernier cas est typique des immigrants qui parlent une langue familiale qui, fort souvent,
n'appartient pas à la nouvelle nation à laquelle ils se sont
intégrés (s'ils se sont assimilés, il n'y a plus de bilinguisme
structurel-naturel; s'ils ne se sont pas encore intégrés, le
bilinguisme structurel est artificiel). Le bilinguisme ou le
multilinguisme structurel est ce qu'on appelle dans certains
milieux du « multiculturalisme ».

Le bilinguisme ou le multilinguisme extérieur est un phénomène très courant pour des individus ou pour des groupes
d'individus. Est-il possible et souhaitable pour les nations?
Rappelons Saussure: « On peut admettre que dans l'antiquité
les **pays** unilingues formaient l'exception. » Cela est en
partie vrai de nos jours aussi. Mais les **nations** unilingues
formaient-elles et forment-elles l'exception? La conclusion
nous paraît évidente: non. Et ce parce que le bilinguisme
ou le multilinguisme extérieur ne concernent que des individus ou des groupes d'individus. S'il devait y avoir une
nation bilingue ou multilingue, elle le serait de façon par-
tielle et diffuse, dans ce sens qu'il y aurait, par exemple, des
individus et des groupes d'individus qui parleraient norvégien et suédois, d'autres le norvégien et l'allemand et d'autres
enfin le norvégien et l'anglais.

Il n'y a donc pas de nations parfaitement bilingues ou multilingues. Mais pourquoi y a-t-il des individus ou des groupes
d'individus bilingues ou multilingues? Parce que ça fait bien
d'être bilingue ou polyglotte. Parce que c'est nécessaire dans
certaines professions ou certains métiers ou parce qu'il y a
des situations très particulières qui sont inévitablement
bilingues (comme, par exemple, la région de Bruxelles, en
Belgique, la région de Montréal, chez nous, les régions de
forte immigration et certaines zones frontalières. Mais même

dans ces situations, le bilinguisme ou le multilinguisme extérieur est très limité et très partiel).

En général, je dis bien en général, les individus ou les groupes d'individus bilingues ou multilingues sont des gens « bien ». C'est pourquoi, je trouve malheureux que Fernand Ouellette ait fait sienne à ce sujet une phrase non citable, et précisément la suivante: « Les peuples bilingues sont presque toujours des peuples inférieurs. » Il n'y a pas de peuples bilingues et s'il y en avait, ils ne seraient certainement pas inférieurs. A moins que l'auteur cité par Ouellette n'ait voulu dire que les peuples bilingues sont inférieurs dans la mesure où ils ne font pas de discrimination entre leurs deux langues, mais cela me paraît très peu plausible. A moins que, à moins qu'un peuple présumément bilingue ne possède pas de véritable langue nationale, ou n'en ait pas conscience, ou qu'il n'en soit ni fier ni orgueilleux. Mais dans des cas de ce genre, il appartient à l'élite nationale non pas de prôner l'unilinguisme exclusif, pour son peuple, mais plutôt de lui faire prendre conscience de sa langue nationale, en la rendant la plus illustre et la plus éloquente possible.

C'est pourquoi, je ne pourrai jamais comprendre le fait que la très grande majorité des Québécois refusent d'apprendre ou de parler l'anglais. Et je ne puis surtout pas comprendre pourquoi les Québécois veulent imposer à tout prix le français aux autres. Car ce faisant, ils ne se rendent pas compte qu'ils leur font un cadeau combien merveilleux et utile! C'est pour cette raison, d'ailleurs, que les Canadiens anglais n'ont jamais essayé sérieusement d'imposer l'anglais aux Québécois, puisque ce n'était pas dans leur intérêt de les rendre bilingues.

Les Québécois se trouvent dans un contexte culturel combien intéressant pour eux. Ils possèdent une langue nationale très belle et ils ont la très grande chance d'être au moins trilingues, s'ils décident, comme ils doivent le décider, de garder leur langue d'origine, le français, et s'ils acceptent enfin d'apprendre comme il faut l'anglais ou l'américain. Les Québécois pourraient ainsi démontrer à tout le monde que le bilinguisme ou le multilinguisme extérieur est possible et souhaitable à la fois, non seulement pour des individus ou des groupes d'individus, mais aussi pour des nations.

Revenons au Québécois: ceux qui ont parlé, pour la première fois (en admettant qu'il puisse y avoir une « première fois » . . .), de joual n'ont pas compris que s'ils dévalorisaient temporairement la langue des Québécois, ils donnaient cependant un nom à un symbole combien vivant pour les Québécois. Ils auraient dû se rappeler que si les Italiens disent depuis longtemps « cavallo » et les Français « cheval », c'est parce qu'ils se sont inspirés, non pas du mot latin classique « equus » mais du mot latin populaire (joualisant!) « caballus »!

Ce qu'André Laurendeau et le frère Untel n'avaient pas compris, un simple élève du frère Untel l'avait bien saisi. Dans le bouquin anti-naturel et anti-historique que sont les *Insolences*, il y a, reproduite par l'auteur, une phrase clef prononcée par un jeune et anonyme étudiant, qui s'écrie en classe, lorsqu'on discute de joual, et je cite: « Mais alors nous sommes les créateurs d'une nouvelle langue. » (Même Félix-Antoine Savard, lui qui pourtant avait tellement insisté sur le caractère français et catholique des Québécois, a déjà dit: « Un jour viendra peut-être où l'on s'avisera de reconnaître les richesses ontologiques et humaines de ce parler. » Par « ce parler », l'auteur entendait « le langage de notre peuple », « notre langue ». Il parlait, bien sûr, même si inconsciemment, du québécois, car d'autres, avant lui, ont découvert les qualités ontologiques et humaines du français. En fait, le français n'a plus besoin d'un nouveau Du Bellay ou d'un nouveau Vaugelas pour qu'on le défende et illustre une fois de plus).

Que les Québécois soient fiers et orgueilleux de cette « nouvelle langue », à la condition qu'elle devienne « illustre ». Et beaucoup de leurs problèmes culturels seront résolubles. Puisque ça leur permettrait de se débarrasser vraiment de leurs terribles complexes et de se déchaîner culturellement enfin.

Mais comment « vendre » aux « autres » (en particulier aux Canadiens anglais et aux Néo-Canadiens) le québécois? A-t-on été capable de « vendre » le français aux autres? A moins que, à moins que la promotion du français, comme la défense du catholicisme d'ailleurs, ne soit considérée, et n'ait été en fait considérée, que comme un moyen d'aliéner culturellement les Québécois, ou alors comme un moyen subtil de sauver le Canada... (A moins qu'on ne puisse démontrer que le français n'a pas avancé au Canada, parce qu'il était trop « lousy » et très peu « parisian ». Mais l'anglais, lui, a connu pas mal de succès au Canada, nonobstant le fait qu'il ne fût pas, et comment donc, l'anglais « du Roi ».)

CHAPITRE IV

La culture globale des Québécois, son essence et son avenir

« Nombreuses sont les merveilles du monde. Mais la plus grande des merveilles reste l'homme. Il est l'être aux mille ressources»
Sophocle

La première définition de culture est restrictive (la culture est une façon spéciale de penser). Si on passe maintenant à la deuxième définition de la culture, à la définition globale, selon laquelle (à l'effet que, en bon québécois) la culture est une façon spéciale de vivre et de penser, il faudra bien s'interroger non seulement sur la forme, mais aussi sur le contenu de cette façon très québécoise de vivre et de penser. Façon qu'on « sent » et qu'on « voit » facilement. Mais qui lorsqu'il s'agit de la « définir », nous met, comme toujours, dans l'embarras le plus gênant qui soit.

Mais le peuple québécois, lui, a choisi de vivre et de penser d'une façon différente. Il a créé une langue à lui, il a créé aussi, et en même temps, une façon globale de vivre et de penser qui lui est propre.

Et c'est, d'ailleurs, en parlant de cette globalité différente des Québécois que tous les Premiers ministres du Québec, mais particulièrement les Premiers ministres du Québec depuis 1960, à savoir MM. Lesage, Johnson, Bertrand et Bourassa, ont toujours revendiqué, pour le Québec, des pouvoirs accrus à l'intérieur de l'actuel système politique canadien. (Lesage, en plaidant pour la « coexistence de deux cultures » au Canada; Johnson, en insistant sur « l'égalité

juridique et pratique de nos deux communautés nationales »; Bertrand, en affirmant qu'il y a au Canada « deux
collectivités, deux peuples, deux nations dont il faut harmoniser les rapports »; Bourassa, en mettant l'accent sur « nos
besoins culturels spécifiques ». Il faut dire, cependant, que
les déclarations « publiques » des hommes politiques ont une
importance relative. Mais on ne peut pas ne pas remarquer,
de toute façon, la « continuité » politique de nos Premiers
ministres).

La culture globale des Québécois, c'est surtout la volonté des
Québécois, peut-être encore au stade de l'inconscience,
d'être culturellement eux-mêmes et uniquement cela (c'est
de devenir, un jour, un peuple-élite). Et ce n'est pas une
« invention » d'aujourd'hui.

La culture globale, c'est le pacte des deux nations de 1867,
c'est le biculturalisme canadien de nos jours. En 1867, donc
et déjà, on avait tenu compte, et comment, de la culture
québécoise. Si, dans certains milieux, on ne s'est pas complètement, effectivement et sincèrement rendu compte, c'est
qu'on a interprété l'Acte de 1867 d'une façon trop technique
et trop formelle à la fois.

Le fédéralisme canadien actuel

Le fait, par exemple, d'avoir accordé des domaines aussi
importants que l'éducation, les droits civils et la propriété,
la célébration du mariage au pouvoir « provincial », le fait
d'avoir établi de choisir les juges des cours du Québec parmi
les membres du barreau de notre « province »; le fait d'avoir
accordé au pouvoir fédéral des domaines comme les brevets
d'invention, les droits d'auteur, les Indiens et les terres
réservées aux Indiens, la naturalisation et les aubains, le
mariage et le divorce; le fait d'avoir accordé le domaine de
l'immigration à la juridiction conjointe des deux niveaux de

pouvoir; le fait d'avoir exigé le bilinguisme officiel des organes législatifs et judiciaires d'Ottawa et de Québec; tout cela démontre, à ne pas en douter, que la réalité des deux cultures nationales a été à la fois l'élément fondamental de la distribution des pouvoirs au pays et l'un des nombreux domaines attribués à l'un et/ou à l'autre des pouvoirs souverains du Canada.

Les Romains ne disaient-ils pas: « ubi societas, ibi jus »? Il n'y a pas, me semble-t-il, meilleure règle « sociologique » que ce dicton attribué à des juristes romains (comme quoi, la sociologie n'a pas été « inventée » par Auguste Comte). « Dis-moi quel est ton droit, et je te dirai quelle société tu es » pourrait être une traduction libre de ce brocard.

En effet, le droit privé québécois ne pouvait pas ne pas être le droit civil, étant donné la culture des Québécois. Et le droit privé canadien-anglais ne pouvait pas ne pas être la common law, étant donné la culture des Canadiens anglais. (Le fait que le droit public québécois soit semblable au droit public canadien-anglais démontre que le droit public est, en général, moins « sociologique » que le droit privé et que, de plus, la culture québécoise est une culture « sui generis », qui a subi et assimilé plusieurs influences extérieures).

Qui plus est, il y a un article fondamental dans l'AANB, l'article 94 précisément, qui permet au fédéral d'uniformiser et d'unifier le droit privé des provinces canadiennes-anglaises, à certaines conditions bien entendu. Cet article est combien révélateur de l'esprit de l'AANB et, de notre point de vue, c'est l'article le plus important de l'Acte de 1867. En effet, si on a prévu une telle possibilité, c'est qu'on est évidemment parti de la prémisse fondamentale, à savoir que les provinces canadiennes-anglaises se sentaient et étaient culturellement semblables et qu'elles s'identifiaient, culturellement, avec le pouvoir fédéral.

Ces constatations nous montrent clairement, premièrement, que la culture, au sens strict du terme, a été accordée, à quelques exceptions près, au pouvoir « provincial ». Et que, deuxièmement, l'on a tenu compte de l'existence de deux cultures nationales (dans le sens large des termes), dans la distribution des fonctions entre les deux ordres de pouvoirs au pays.

Pour être plus précis, on a identifié les deux cultures nationales du pays avec le gouvernement « anglophone » d'Ottawa essentiellement, pour ce qui a trait à la culture canadienne-anglaise, et avec le gouvernement « francophone » de Québec essentiellement, pour ce qui a trait à la culture « canadienne-française ».

Il y a, évidemment, des exceptions dues au régime fédéral du Canada, mais il ne faudrait pas trop s'en étonner, tout régime fédéral, étant de par sa nature, hybride et confusionnaire à souhait. Régime caractérisé d'ailleurs et de plus en plus, comme l'expérience nous l'a montré clairement, par la « loi de la jungle », du point de vue politique, et par la prolifération inextricable des « doubles emplois », du point de vue administratif.

D'ailleurs, qu'est-ce que c'est qu'une véritable fédération? Est-elle caractérisée par les principes théoriques de la division de la souveraineté entre plusieurs pouvoirs souverains, par l'existence d'une constitution écrite et rigide, et par la présence d'une cour constitutionnelle? Faut-il tenir compte de la forme ou du fonctionnement d'une fédération? Et faut-il l'envisager sous l'angle « de jure condendo » ou sous l'angle « de jure condito »? Une chose est certaine: une véritable fédération, c'est le triomphe de la confusion et de compromis continuels, donc d'une certaine nature humaine! De ce point de vue, le Canada est un exemple combien vivant et intéressant de véritable fédération.

A l'élite québécoise de « faire face »

Ce qui en 1867 était partiellement compris et partiellement
appliqué, devient de nos jours une réalité combien vivante
et combien intéressante. Le Québec demande de plus en
plus des pouvoirs accrus au sein de la fédération canadienne,
« puisque culturellement différent ».

Mais l'attitude, l'unique attitude, pour le Québec, ce n'est
pas de demander des pouvoirs accrus, puisqu'il jouit déjà
d'un statut particulier, mais d'agir donc comme s'il détenait
ces pouvoirs. C'est d'agir comme s'il était une nation normale. Le Québec me semble être arrivé, culturellement, à
un stade où tout dépend de sa volonté d'agir. Dans tous les
domaines, sans aucune exception. Le fédéral, les protestants,
et l'anglais ne sont pas perçus comme étant des antithèses
extérieures par le peuple québécois. L'antithèse, s'il y en a
une, est intérieure, et c'est l'élite que le peuple a créée à son
image et qui, comme lui, semble hésiter et risque d'ailleurs
de s'acheminer vers un conflit avec son peuple, si elle ne
bouge pas.

Mais le propre de l'élite, si elle est élite, bien entendu, est
de « faire face » (pour utiliser une expression chère à
Machiavel). Elle doit forcer l'Etat du Québec à agir, à
l'intérieur ou à l'extérieur de la fédération canadienne peu
importe, au nom de la façon spéciale de vivre et de penser
des Québécois.

L'Etat du Québec est, pour l'instant, l'instrument fondamental que les Québécois possèdent pour réaliser leur
identité culturelle. C'est l'incarnation par antonomase de
la société québécoise, non seulement du peuple et de l'élite,
mais aussi de ses classes sociales, et plus précisément de la
classe dirigeante (les hommes politiques, les technocrates,
les dirigeants des grandes entreprises, les chefs syndicaux, les
éditorialistes, etc . . .) , de la classe dominante (les indus-

triels et les financiers, etc . . .) , des classes supérieures (les grands bourgeois, les grands propriétaires, les célébrités, etc . . .) , des classes moyennes (les petits bourgeois, les fonctionnaires, les professionnels, les professeurs, les techniciens, les technologues, etc . . .) et des classes marginales (les ouvriers, les collets blancs, etc . . .). On utilise ici l'expression « classe » faute de mieux. Il s'agit, de toute façon, de classes sociales profondément « fluides ».

Peut-être est-ce une situation dangereuse que de tout attendre de l'Etat, puisque l'Etat ce n'est pas nécessairement « nous », car il arrive souvent que les intérêts de l'Etat coïncident avec les intérêts de la classe dominante. Peut-être est-ce une forme de démission individuelle que de tout espérer de l'Etat (mais c'est aussi une forme de collectivisation de la vie nationale) , mais, étant donné le contexte, et tant que l'Etat ne deviendra pas une fin en soi, c'est le seul instrument que le Québec possède à l'heure actuelle. (Mais que les Québécois apprennent à se méfier un peu de l'Etat, s'ils ne veulent pas se retrouver, un jour, devant un monstre que Lanza Del Vasto a justement appelé la « Providence Mécanisée ») .

Et son action pourra et devra être bénéfique pour le Québec, mais à la condition que l'élite québécoise continue d'être **l'âme de la révolution tranquille du Québec.** En faisant face, comme le disait si bien le Secrétaire florentin. C'est-à-dire en assumant et en définissant la culture québécoise dans le sens global du terme. (Mais ça ne veut pas dire nécessairement faire coïncider la Nation et l'Etat, puisque plusieurs nations peuvent coexister dans un Etat, comme d'ailleurs plusieurs états peuvent coexister au sein d'une même nation, et puisque, de toute façon, les nations, comme la famille et la communauté œcuménique, ne devraient pas avoir, en principe, de « frontières » artificielles, à moins de circonstances spéciales. Ce qui est, dans le fond, combien naturel et historique, puisque la solitude et l'isolement humains, individuels et collectifs, ne sauraient exister dans ce monde à nous. Mais il faut dire que les frontières du genre étatique peuvent ne pas être artificielles.)

L'essence de la culture québécoise

Mais c'est quoi, la culture globale des Québécois? On la « sent », on la « voit », mais lorsque on veut la définir, tout semble devenir difficile, même si on n'a pas besoin de faire à ce sujet des enquêtes sociologiques combien coûteuses et inutiles à la fois.

Les Québécois sont des nordiques qui s'ignorent, d'origine française certes, mais vivant dans un contexte nord-américain et scandinave. (C'est ce qu'on appelle dans le **mandat** de la Commission Gendron le « caractère du Québec en Amérique du Nord ».)

Avec les Canadiens anglais, ils ont créé un nouveau sport, le hockey sur glace. Comme les Etasuniens, ils adorent le baseball et le football. Et comme les Canadiens anglais et les Etatsuniens ils n'aiment pas trop le soccer!

Mais à la différence des Canadiens anglais, ils sont pas mal américanophiles! (L'américanophilie des Québécois serait-elle due au fait que les Américains et les Québécois parlent deux langues différentes? L'américanophobie culturelle des Canadiens anglais, au contraire, ne serait-elle pas due au fait que les Américains et les Canadiens anglais parlent pratiquement une langue pas mal semblable?) Mais comme les Canadiens anglais, ils sont de très mauvais danseurs. Et comme eux, ils ont le goût du compromis et de la compromission.

Comme les Scandinaves, ils aiment la nature et les grands espaces; ils ont horreur de la violence, des querelles byzantines et des manifestations dans les rues (il est intéressant de remarquer à ce sujet que pour les Québécois une manifestation de 5-10,000 personnes constitue une manifestation monstre et que, de plus, une manifestation un peu mouvementée est qualifiée d'émeute!). Peut-il y avoir des institutions plus «scandinaves» ou plus nordiques que les Lois québécoises d'adoption et d'aide sociale, le régime matrimonial de la société d'acquêts et le Protecteur du Citoyen? (Ce qui démontre, à ne pas en douter, que notre droit civil devient de moins en moins français et de plus en plus québécois. D'ailleurs, l'Office de Révision du Code civil n'a-t-il pas été implicitement créé à cette fin?). Peut-il y avoir, en outre, un roman plus nordique que « Poussières sur la ville »? (Il faut dire qu'on utilise ici le terme « nordique » en opposition au terme « latin ». Mais il s'agit, bien entendu, de termes de référence, pas plus. Car, quand on parle d'esprit latin, pense-t-on aux Latins anciens ou aux Latins « décadents » du Moyen Age? On pourrait même dire que ce sont les Anglais et les Américains qui sont les véritables latins d'aujourd'hui, puisqu'ils sont pragmatiques comme eux, alors que ceux qu'on appelle de nos jours les latins seraient plutôt les grecs d'aujourd'hui, puisqu'ils sont byzantins comme eux.)

Pendant plus de deux siècles, ils ont perdu le contact avec la mère patrie mais, paraît-il, cette perte de contact existait avant même la conquête des Anglais. Faut-il se rappeler, durant le régime colonial français, les conflits à l'intérieur de l'armée et de l'administration publique françaises, entre les « Canadiens » ou les « Habitants » et les « Français »? Entre Montcalm, le « méchant », parce que français et Vaudreuil « le bon », parce que canadien? Ou les conflits actuels de sémantique qui nous divisent de nos « cousins »? Il suffit de penser un seul instant, aux différentes notion et définition que les Français et les Québécois se font du mot culture! (Quoi de moins étonnant, alors, qu'on permette à des « artistes » du calibre des Jérolas et de Mireille Mathieu de jouer dans les meilleurs théâtres du Québec). D'ailleurs, faut-il rappeler que ce furent les Carbonari italiens qui inspirèrent les « Patriotes » de 1837 et non point les Révolutionnaires français.

Ils ont perdu la « clarté » du verbe français, mais après tout ce n'est pas une chose bien grave en soi. Car, comme disait justement Voltaire, et qui est clair n'est pas profond.

Or, comme tous les nordiques, plus encore ceux qui s'ignorent, les Québécois sont très profonds, et précisément à cause de cela ils se présentent comme des gens simples et modestes, humbles et tranquilles. A tel point qu'il arrive parfois à des artistes québécois très populaires de se vanter de passer en première partie dans un spectacle à l'Olympia de Paris!

Mais ils ont le sens de l'humour qui est si typiquement nordique (voir à ce sujet la brochure touristique sur le Québec faite par les Québécois pour les étrangers et dans laquelle on exalte la « générosité » des Québécoises). Des gens qui ne se prennent pas au sérieux et qui ne prennent pas les autres trop au sérieux (voir l'incroyable charabia qui a régulièrement lieu au cours des débats de l'Assemblée Nationale).

Ils ont été capables de refuser l'anglais et le français, donc une certaine facilité; ils ont créé une nouvelle langue, donc une nouvelle culture, et ceci est combien merveilleux et digne de respect. (Ceux qui seraient portés à qualifier le québécois de sabir ou de créole sont indubitablement des pauvres d'esprit. Et de toute façon, comment ces gens-là qualifieraient-ils le norvégien, le suédois, le portugais, le finlandais, le hollandais, le danois, le serbe et le roumain, par exemple? A propos du sabir, en tout cas, en admettant que l'acadien soit du sabir, comment se fait-il qu'un professeur d'université, en l'occurrence Antonine Maillet, ait écrit en acadien une histoire combien émouvante, et précisément « La Sagouine »? Et comment se fait-il, de plus, que la littérature créole d'Haïti soit tellement authentique?). La nouvelle langue québécoise étant plus concrète et donc moins abstraite que le français pourrait même, et pourquoi pas, influencer avantageusement l'évolution du français de France. (Maintenant que j'y pense, ceux qui s'intéressent aux questions linguistiques auraient besoin, me semble-t-il, de lire et de méditer **aussi** les œuvres de deux grands philosophes et philologues italiens du 18e siècle, et plus précisément Vico et Cesarotti. Vico a été, entre autres, celui qui, pour la « première fois » peut-être, a parlé de l'**Iliade** comme étant une œuvre collective du peuple grec . . .)

Ils sont libres et démocratiques, tolérants, bons viveurs et, dans le fond, très peu respectueux et trop respectueux à la fois de l'autorité (exemples: le tutoiement facile des Québécois dans leurs conversations avec tout le monde ou presque et l'acceptation inconditionnelle de toute loi même si considérée injuste). Ils n'aiment pas la guerre, mais ont été parmi les meilleurs soldats qui soient sur les champs de bataille au cours des deux premières guerres mondiales. Des soldats naturels, mais gentils et prudents. Qu'il suffise de se rappeler avec combien de gentillesse et de prudence a eu lieu la querelle au sujet de la fameuse inscription sur la murale du Grand Théâtre de Québec. Des gens qui ont le sens et l'esprit communautaires. (Est-ce pour cela que le Québec semble s'en aller tout naturellement, et historiquement, vers **une certaine forme de socialisme?**)

Des gens, chez qui les éternels révolutionnaires et révoltés, les jeunes et les vieux, se sentent de moins en moins impuissants et impotents et de plus en plus solidaires. (Cette alliance éventuelle, éventuelle dans le sens québécois du terme, **ne ferait que concrétiser l'affection** naturelle qui existe depuis toujours entre les petits-fils et les grands-parents). Mais il faut dire que, du point de vue électoral, les jeunes et les vieux sont, du moins pour l'instant, très décevants et très « marginaux », ce qui est sociologiquement et philosophiquement inquiétant. Cependant, la distinction sociologique entre jeunes et adultes persiste au Québec. Mais il s'agit d'une distinction sociologique. Il n'y a pas, à proprement parler, de conflits idéologiques ou des conflits philosophiques au Québec. Les jeunes pensent presque tous de la même façon; les adultes aussi, mais les différences, si différences il y a, sont plutôt minimes. C'est ce qui explique le grand succès sociologique d'une pièce de théâtre comme « Charbonneau et le Chef » à Québec. Cette pièce a pratiquement plu à tout le monde et n'a donc pas suscité de polémiques, qui auraient pourtant pu être intéressantes à ce sujet. On pourrait dire la même chose au sujet des représentations théâtrales du Grand Cirque Ordinaire, qui sont très sociologiques, à savoir descriptives et analytiques, et très peu philosophiques, à savoir explicatives et synthétiques. (On se préoccupe surtout, donc, du comment, et non pas du pourquoi des phénomènes et des problèmes québécois et pour cause, car la connaissance des « choses » est plus **facile** que la connaissance de « soi »).

Des gens préoccupés par le désir ardent de la démocratisation et de la participation à tous les niveaux, à tel point que pour eux la libéralisation des clubs privés de pêche devient un problème on ne peut plus important et fondamental, ce qui est pour le moins déroutant.

Des gens qui conjuguent très souvent, trop souvent, le verbe « améliorer », alors qu'ils devraient comprendre l'importance de conjuguer le verbe « perfectionner ». Des gens aussi qui n'ont pas encore perdu la très mauvaise habitude de citer le « Petit Larousse ».

Des gens qui tolèrent, dans trop de domaines, le « monopole » des avocats-praticiens, dont le manque d'éloquence est leur moindre défaut (Tocqueville avait déjà remarqué en 1831 la vulgarité et le manque de distinction des « meilleurs avocats » de Québec, qui ne faisaient preuve de « talent ni dans le fond des choses ni dans la manière de le dire. » Et Tocqueville d'ajouter: « L'ensemble du tableau a quelque chose de bizarre, d'incohérent, de burlesque même »). Et qui tolèrent bonnement, aussi étrange que cela puisse paraître, que les techniciens, les médecins et les dentistes en l'occurrence, « gagnent » des sommes d'argent fabuleuses, et ce nonobstant la modeste préparation technique et « culturelle » desdits professionnels.

Des gens qui tolèrent d'autres injustices combien voyantes, comme un système politique électoral grotesque qui a permis, en 1966, au parti de l'Union Nationale de prendre le pouvoir avec 40% du vote populaire, alors que le parti libéral, avec l'appui de 47% des électeurs, se voyait relégué à l'opposition. Comme le système judiciaire, où des juges, nommés pour des raisons politiques, distribuent à gauche et à droite des peines pour outrage au tribunal. Des juges qui s'amusent, de plus, à faire des commentaires « moraux », eux qui n'ont pas toujours été des anges leur vie politique durant. Un système judiciaire où le ministre de la Justice est aussi procureur général et où les procureurs de la « Couronne » sont souvent des procureurs à temps partiel. Et que dire, en général, de la justice qui coûte terriblement cher aux justiciables? Il est assez amusant, à ce sujet, de voir nos réformistes demander qu'on respecte, à tout prix, le droit d'avoir un avocat pour tout justiciable, alors qu'ils savent très bien que ce droit coûte énormément cher pour la très grande majorité des citoyens québécois, mais même si c'était possible de payer les avocats selon leurs tarifs à eux, serait-ce moral de les payer autant?). Pourquoi nos réformistes ne demandent-ils pas qu'on institue un réseau normal de tribunaux administratifs où plusieurs « professionnels » pourraient siéger comme juges ou agir comme procureurs? Pourquoi ne pas demander que les questions familiales, et plus particulièrement les affaires de divorce et de séparation, soient absolument interdites aux avocats? Pourquoi ne pas insister pour que les corporations professionnelles « fermées » soient administrées par des conseils dont les deux tiers des membres ne seraient pas des membres des corporations concernées? Pourquoi ne pas proposer, par exemple, que toute procédure judiciaire au civil soit obligatoirement précédée d'une procédure de conciliation où ne comparaîtraient que les personnes directement intéressées? Cette procédure de conciliation devrait ou permettre un règlement extra-judiciaire entre les parties en cause ou, si tel règlement n'était pas possible, cette procédure devrait pouvoir rendre difficiles les actions « téméraires » qui pourraient s'ensuivre à la suite de l'échec d'une conciliation.

Bien sûr, on me dira que c'est du temps perdu que de demander des choses justes mais **dangereuses** pour certains « petits groupes ». Mais ces petits groupes sont, culturellement, banals et médiocres, ne l'oublions pas, donc assez facilement manipulables, si on le veut, bien entendu. Ils ne sont pas si puissants qu'on le pense (et d'ailleurs, lorsque l'on propose des réformes, le critère culturel qui nous guide, ce n'est pas de savoir si on **peut** les proposer, mais plutôt si on **doit** les proposer.)

On pourrait, bien sûr, donner des centaines d'autres exemples d'injustice au Québec, comme par exemple les nombreuses et tragiques injustices économiques de chez nous. (Mais faut-il souligner le fait qu'à la différence des premières injustices mentionnées plus haut, ces dernières ne se résolvent pas en les discutant et, de toute façon, il s'agit pour nous de problèmes très importants mais secondaires, puisque la bonne ou mauvaise résolution de ces problèmes dépend d'une bonne ou mauvaise démarche culturelle.) Si les injustices « politiques » ou « judiciaires » sont plus voyantes que les autres, ce ne sont donc certainement pas les seules. Il ne faudrait cependant pas oublier que l'injustice n'est pas un phénomène exclusivement québécois, soit dit en passant. On pourrait même conclure que si l'on pense à d'autres pays, les injustices d'ici ne sont que des peccadilles, puisque de toute façon, ça n'empêche pas les Québécois, qui le veulent, de bien penser et de bien vivre (mais quelle différence morale y a-t-il entre les petites et les grandes injustices?)

Des gens, aussi, qui n'accordent que très peu d'importance aux seuls et vrais « technologues » de notre époque, les ingénieurs plus exactement.

Une société où règne la plus incroyable et étrange confusion des valeurs (l'âge, les qualifications et l'expérience des hommes, par exemple, semblent n'avoir aucune valeur réelle dans l'obtention de certains emplois importants. La même chose se produit dans la reconnaissance incroyablement rapide et par conséquence éphémère de certaines « compétences » pas toujours très compétentes ou encore dans le peu de respect qu'on a envers certaines personnes « indigènes » respectables, à moins, évidemment qu'il ne s'agisse d'« étrangers » pour lesquels le respect devient alors de la vénération!)

Tout ceci, dans le fond, peut s'expliquer par le manque, au Québec, d'une véritable élite. Mais si le manque d'une véritable élite peut constituer, à certains égards, un certain avantage (tout le monde se sent, plus ou moins « capable » et « libre »), il constitue, cependant, un désavantage certain, puisqu'il crée une incroyable confusion des valeurs et des jugements, une insécurité, des complexes très lourds, et une démocratisation anormale de la vie collective de la nation. Il faut dire, toutefois, que la disparition des élites constitue un phénomène pas mal moderne. Mais au Québec, la disparition des élites, si disparition il y a, existe depuis les débuts de notre vie nationale ...

Une nation, où les femmes luttent pour l'égalité des sexes, mais on se demande bien pourquoi, étant donné la situation de supériorité dans laquelle elles se trouvent au Québec. (Il suffit de lire la pièce de Michel Tremblay, « Les Belles-Sœurs », ou de voir le film de Gilles Carle, « Les Mâles », pour comprendre la domination des femmes au Québec, et pourquoi les femmes sont en train de devenir des hommes et les hommes des femmes chez nous. A moins qu'on n'arrive au Québec à une culture « unisexe »!)

Un pays, où règne la plus grande liberté possible dans le royaume d'Eros! (A-t-on jamais songé au fait, absolument incroyable, que les Québécoises sont peut-être les plus grandes consommatrices de pilules anticonceptionnelles au monde, ce qui est certainement peu réjouissant). Les femmes vont-elles se rendre compte que la liberté et l'égalité absolues, en général, et la liberté et l'égalité absolues dans le domaine sexuel, en particulier, vont à l'encontre de leurs intérêts? (Faudrait-il conseiller aux Québécoises de lire ou de relire certains philosophes grecs qui, eux, avaient compris qu'une certaine forme d'esclavage constituait, dans le fond, la situation la plus conforme au destin culturel des femmes?)

Une nation, où les gens aiment bien boire et bien manger, mais qui semblent ignorer ce que veut dire bien boire et bien manger, étant donné notre contexte nord-américain dominé par des livres de gastronomie combien ridicules et grotesques!

Une culture « nordique » quoi! Il suffit de voir, au Québec, les défilés paisibles de la Saint-Jean ou les carnavals d'hiver qui ont lieu dans certaines villes québécoises pour se rendre compte de la froideur de nos gens. (Nordique pas dans le sens folklorique à la Montesquieu ou à la Madame de Staël, mais dans le sens de culture mariée pour de bon avec sa nature froide et altière). Et pas très catholique et certainement mûre, j'en ai vraiment l'impression, pour une nouvelle religion ou un nouvel idéal, qui soient plus conformes à la modernité du Québec, modernité qui « se fait » de jour en jour (à propos de la religion au Québec, s'il n'y avait pas eu le « complot politique » de la classe dirigeante locale, combien de Québécois seraient-ils restés catholiques et combien seraient-ils devenus protestants? Le « bon » succès des Témoins de Jéhovah au Québec est assez révélateur à ce sujet, même s'il est à espérer que la majorité des Québécois saura s'orienter, à ce sujet, d'une façon autrement plus intéressante).

De ce point de vue, Louis Hémon n'avait rien compris au génie du peuple québécois. Cependant, Maria Chapdelaine symbolise encore, de nos jours, l'insensibilité et le matriarcat de la société québécoise. (Exemples: Maria accepte avec beaucoup de naturel la mort de son premier amoureux; c'est Maria, de plus, qui décide, par la suite de son propre gré, qui marier et quand se faire marier). Il suffit, d'ailleurs, de voir, de nos jours, une joute de hockey, pour saisir l'incroyable insensibilité des Québécois. Il se passe, en effet, dans une soirée de hockey, sur la patinoire, des choses véritablement inimaginables et indescriptibles et pourtant combien acceptables pour les Québécois et les Canadiens.

Un peuple jeune et moderne, peu critique et peu discipliné, qui a abandonné tous les aspects non essentiels de sa culture, à savoir les aspects français et anti-anglais, catholique et anti-protestant, donc les aspects apparemment homogènes de sa culture, et ce nonobstant le complot de la classe dirigeante et de l'Eglise québécoises.

Un peuple qui a été capable de reconquérir le Québec, culturellement, et ce nonobstant le fait qu'à un certain moment de notre histoire les Canadiens anglais fussent presque en majorité chez nous et nonobstant la « saignée » de l'émigration canadienne-française aux Etats-Unis au siècle dernier.

Un peuple qui est donc prêt à reconquérir le Québec, économiquement, nonobstant les politiciens classiques et les prêtres traditionnels.

Un peuple « dangereux » pour les autres! C'est pourquoi, trop d'intérêts semblent se coaliser contre la « québecquisation » du Québec. Car un peuple « culturellement lui-même », fidèle à l'essentiel de sa culture, fait peur aux autres. Puisque les « autres », bien sûr, ne se sentent pas culturellement eux-mêmes. Autrement, ça pourrait aller comme sur des patins!

L'avenir de la culture québécoise

Les Québécois ont été capables de dominer la plus redoutable des natures. Ils ont été capables de tuer ce que Ringuet appelait « cette immobilité à laquelle l'hiver nordique condamne les êtres et les choses » et ce que Gaston Miron appelle les « siècles de l'hiver ». Désormais, il n'y a plus « six mois d'hiver dans ce pays », comme du temps de Samuel de Champlain, pour qui l'hiver, d'ailleurs, « resserre la chaleur naturelle qui cause plus grande corruption de sang ». Ils seront capables de dompter d'autres adversaires.

Mais pour ce faire, il faut que l'élite se décide à être elle-même. Car le salut ne viendra pas des classes sociales comme telles, mais de l'élite culturelle, du psychiatre dont le peuple du Québec a tellement besoin. D'où la primauté absolue de la démarche culturelle sur toute autre démarche non culturelle.

C'est pour cette raison que « la quantité et le nombre » dans une nation n'a jamais eu, n'a pas et n'aura jamais aucune valeur dans l'histoire de l'humanité. Dans le fond, ceux qui, en bonne foi, parlent de l'importance du nombre et de la quantité des nations ou des pays sont, en définitive, des idéalistes pour qui les hommes sont parfaitement égaux. Or, il se trouve que si les hommes sont heureusement différents, ils sont malheureusement inégaux. Car, qu'on le veuille ou pas, le président des Etats-Unis n'a pas la même importance qu'un simple manœuvre américain. Comment expliquer le fait que huit millions de Suédois soient plus importants que 600 millions d'Indiens? On pourrait se rappeler à ce sujet la phrase suivante d'Aristote: « Hippocrate, quant à la stature, fut peut-être plus petit qu'un autre homme, mais aussi plus grand médecin ». Ce qui compte, ce qui a toujours compté, et ce qui comptera davantage, surtout dans les sociétés de demain, ç'a été, c'est et ce sera « la qualité » d'une nation.

Il suffit de lire bien, un livre d'histoire ou un manuel de géographie pour se rendre compte, une fois pour toutes, que le monde a toujours été dominé par des pays de qualité, abstraction faite s'ils étaient, physiquement, grands ou petits, riches ou pauvres. Ça ne veut pas dire nécessairement que les pays ou les nations ne peuvent ne pas être **grands** que dans la mesure où ils sont petits et pauvres, comme pensaient, par exemple, Aristote, Rousseau et Machiavel. Ça veut dire tout simplement que si 9 millions de Belges, 200 millions d'Américains, 7 millions de Suisses et 700 millions de Chinois sont importants, c'est à cause, non pas de leur quantité, mais de leur qualité. D'ailleurs, l'exemple chinois est très révélateur: les Chinois sont des centaines de millions depuis longtemps, mais ils ne sont devenus importants que depuis, quelque temps, à cause, bien sûr, de leur « nouvelle » culture. (Les faux prophètes qui appréhendent ou déclament ou exaltent les méfaits et les vertus de la natalité ou de la dénatalité, ou de la petite ou grande densité de population, sont, à ne pas en douter, ou des ignorants, ou des charlatans).

Et la qualité des nations dépend de la « qualité » des élites. Que l'élite québécoise, si elle existe vraiment, cesse de « parler » de la mer anglo-saxonne, qui ne noie que ceux qui ne savent pas nager, qu'elle cesse de **parler** et de pleurnicher sur le fait, combien merveilleux en soi à vrai dire, que nous soyons seulement 5 millions. Au sujet de cette fameuse « mer anglo-saxonne », je me demande bien que viennent faire, du point de vue québécois, dans le chiffre « apeurant » de ces 200 millions de soi-disant anglophones de l'Amérique du Nord, les Américains du Centre, du Sud et de l'Ouest et, pourquoi pas, les Canadiens de l'Ouest. A moins qu'on ne puisse démontrer que les Québécois ont des contacts soutenus avec tous ces 200 millions d'individus. Et puisqu'on vit dans une époque présumément technologique, pourquoi ne pas ajouter à ce chiffre les quelque 150 millions d'hispanophones et les quelque 80 millions de portugophones de l'Amérique? Maintenant que j'y pense, est-ce que les Hollandais, les Luxembourgeois, les Danois et les Suisses ladins se plaignent du fait d'être « encerclés » par une masse considérable de francophones, de germanophones et d'italophones? Que je sache, non, et pour cause. Car le choc des cultures est toujours bénéfique pour tout le monde. Que notre élite se débarrasse, en un mot, de ses complexes artificiels, car, à la différence du peuple, elle n'a pas besoin de psychiatre, si elle est vraiment élite, bien entendu. Qu'elle affirme la fierté et l'orgueil d'appartenir à la « Terre-Québec », qu'elle assume et définisse la culture québécoise. Le peuple suivra.

Il suffit de penser un peu, et sérieusement, à l'**exemple de Constantin.** On s'est posé, je ne sais combien de fois, la question à savoir pourquoi Constantin s'était converti au christianisme, alors que la très grande majorité du peuple était resté encore très fidèle à l'ancienne religion. La seule explication plausible me paraît être la suivante: le christianisme avait fait des ravages au sein de l'élite, à tel point que le pouvoir incarné par l'empereur fut **obligé** de se moderniser. Le peuple suivit plus tard, comme toujours! On ne peut, me semble-t-il, expliquer la conversion de l'empereur par un miracle, comme on l'a faussement prétendu, puisque, sa vie durant, particulièrement après sa conversion, Constantin fut on ne peut plus « anti-chrétien » dans presque toutes ses manifestations. (Le miracle, dans le fond, ne constituait-il pas une forme subtile, mais nécessaire, de publicité, de « public relations » et de promotion à la romaine, et ce de la façon la plus conforme aux « mass media » de l'époque?). Ce qui veut dire, somme toute, que si un jour le pape devient socialiste ou communiste, ce sera à cause de l'influence, à cette fin, de l'élite italienne, et non pas à cause de la pression du peuple italien. Quoi de moins étrange que l'Empire romain, devenu catholique, devienne romain catholique communiste! Ça, c'est du modernisme culturel.

Si l'élite agit comme elle doit agir, l'État du Québec ne pourra pas ne pas réaliser, au Québec, une politique québécoise orientée et dominée par la culture. De ce point de vue, l'État du Québec pourrait devenir le plus « révolutionnaire » des États modernes, car ce qui va de plus en plus « préoccuper » les sociétés de demain ce seront tout d'abord les problèmes culturels.

Il faut dire, cependant, que les problèmes culturels, nouveaux et modernes, ne sont pas ceux créés par le choc du futur, ni par les mass media, ni par la technologie. Les problèmes culturels d'aujourd'hui ne sont non plus constitués par le besoin de transformer la nature humaine.- Les grands problèmes culturels d'aujourd'hui me paraissent dominés par la nécessité d'interpréter cet « être aux mille ressources » qu'est l'être humain, cet être « condamné à être libre » (Sartre), de façon à ce qu'il puisse dominer davantage les nouveaux besoins des besoins satisfaits.

L'idéal, évidemment, serait que l'homme puisse dire « NON » au « progrès » technique et non à la lune. Mais est-ce possible et souhaitable? L'homme peut-il dire non à la machine qui est l'une de ses créations et non à la conquête de la lune, qui constitue l'un de ses rêves? S'il ne peut pas dire non à la machine et à la lune, il peut dire oui à ses mille ressources intellectuelles et morales, qui lui permettront d'avancer et d'évoluer et non pas de reculer et de s'abâtardir dans les méandres de la technologie moderne qu'il développe sans cesse. C'est pourquoi je ne puis admettre la distinction que faisait Marx entre l'interprétation et la transformation de la nature humaine.

En voulant transformer la nature humaine, c'est-à-dire sa culture, on tue l'homme. Mais le tuer pourquoi? (D'ailleurs, qui transformerait les transformateurs, à moins qu'on ne veuille se transformer soi-même . . .) Alors qu'en l'interprétant davantage, on peut découvrir les mille ressources dont il est capable, et parmi lesquelles les plus valables ont été, sont et seront toujours ses qualités intellectuelles et morales! C'est pourquoi aussi je ne puis comprendre l'engouement des Québécois pour le choc du futur, les mass media, la technostructure et la technétronique qui sont tellement à la page par ici de nos jours. S'il y a un choc qu'il faut examiner, c'est bien le choc du passé! C'est de son examen que nous pourrons tous mieux nous découvrir. Qu'on démystifie le futur et le passé, et l'on verra que le seul choc qu'il faut considérer, c'est celui du passé, c'est-à-dire notre culture d'origine. Car le changement éventuel du futur, ce n'est pas du progrès, ça ne sert presque à rien sinon à compliquer les choses et à nous mener de plus en plus vers le suicide collectif, puisqu'il crée la peur injuste du passé et l'illusion exagérée du progrès, et puisqu'il rend l'homme de plus en plus spectateur, passif et objet, donc de moins en moins conscient, et par conséquence de plus en plus aculturel ou anti-culturel ou contre-culturel.

Que l'homme retourne à sa culture d'origine et qu'il accepte son destin tragique et sublime! Entre un passé qui nous hante et un futur qui nous exalte, (autrefois, nous dit-on, c'était le passé qui nous exaltait et le futur qui nous hantait!) c'est le présent qui en souffre, et comment! Et le passé, c'est nous et on ne doit pas avoir peur de nous, si on fait des efforts, bien entendu, pour mieux nous connaître. Le futur, il faut bien se le dire, c'est du « passé futur » ou du « futur antérieur »! Qu'on comprenne, une fois pour toutes, qu'il n'y a aucune différence culturelle, intellectuelle et morale, entre l'homme à cheval et l'homme en avion, **si ce n'est qu'il ne marche pas à pied.** Ou s'il y a des différences, elles ne sont pas dues au cheval ou à l'avion, car le cheval et l'avion sont la conséquence d'une attitude culturelle plus « nouvelle » et plus « moderne » et de toute façon il n'est pas dit que les différences si différences il y a, soient véritablement « supérieures ». Et enfin n'oublions pas que les effets secondaires des créations humaines, si effets secondaires il y a, sont le résultat de la démarche culturelle de l'être humain et non pas de ses créations techniques particulières (ces dernières étant toujours **transitoires** de tous les point de vue. Il suffit de songer, à ce propos, au fait que dans 20 ans, ma voiture sera disparue, à juste titre d'ailleurs, de la mémoire des hommes. Mais dans 20 ans, on lira encore Homère, Shakespeare, Gœthe et Pirandello, par exemple ce qui est très normal, puisque ma voiture n'a pas d'âme.)

A ceux qui parlent continuellement de mass media, de futur, de technostructure et de technétronique et de période post-industrielle (comme Marshall MacLuhan, Tofler, Galbraith et Zbigniev Brzezinski, par exemple), il faudrait tout simplement leur dire: vous n'avez jamais étudié, comme il faut, l'histoire humaine. Car ces problèmes sont vieux comme le monde. Ce qui peut être et est en fait nouveau et moderne, c'est la façon de les percevoir. **Car si tout a été**

dit, tout n'a pas été perçu. Les technologues et la technologie existaient du temps des Egyptiens! Et le mariage était éphémère du temps des Romains. Tofler n'a certainement pas étudié le droit romain, dont la philosophie du mariage et du concubinat était précisément de considérer le mariage et le concubinat comme étant des contrats combien éphémères! Tofler a-t-il lu Sénèque, qui disait, si ma mémoire ne me trahit pas, que les Romaines, de son temps, ne comptaient plus le nombre de leurs années par les noms des consuls, mais par les noms de leurs maris et amants et que, de plus, elles ne se mariaient que pour divorcer et ne divorçaient que pour se marier!

Pour ce qui a trait à l'ère ou à la révolution technétronique, quelle importance culturelle peut-on donner à ceux qui parlent de certains phénomènes qui se produiraient « pour la première fois », alors qu'ils concluent eux-mêmes que la philosophie et la politique auront de plus en plus d'importance! Au moins ceux qui, comme Barets, parlent de la fin des politiques ou de la fin des idéologies, sont plus originaux, même s'ils vivent pas mal dans les nuages!

En fait, le problème culturel de notre époque a été bien situé par Paul Ricœur, lorsqu'il s'est exclamé, « voilà le paradoxe: comment se moderniser et retourner aux sources ». Tandis que lorsque Denis « De » Rougemont nous parle de l'apparition d'une « conscience planétaire », je ne sais si je dois rire ou pleurer. Car ce qui compte c'est la conscience que l'homme a de sa culture, qui est personnelle et collective à la fois, et ce depuis un temps **immémorial** ou presque. C'est cette mémoire perdue qu'il faut retrouver! Comme l'a déjà dit Saint-Exupéry: « il faut retrouver l'homme. C'est lui l'essence de sa culture. » Ou pour citer un auteur, je me demande bien pourquoi très à la mode chez nous, Malraux: « L'homme ne devient homme que dans la poursuite de sa part la plus haute ». Dans la prise de conscience de sa nature, de sa culture c'est-à-dire.

Et si la technologie était vraiment importante, comment se fait-il que les technologues n'ont en fait aucun pouvoir et aucune influence de nos jours? (Heureusement pour nous, car, comme l'a si bien dit Lanza Del Vasto, dans le « Paradis mécanisé », les gens n'auront d'autre choix que de « mettre le feu partout ». De nos jours, au moins, on met le feu un **peu** partout!)

Comment se fait-il que le pays qui est censé être le plus technologique de notre époque, les Etats-Unis plus précisément, soit dominé par des avocats-généralistes? (il se produisait à peu près la même chose à Rome, avec cependant une différence remarquable, à savoir que la Cité était dominée par les juristes-théoriciens ou les « prudentes », et non par les plaideurs-praticiens, les « oratores ». Cicéron était un bon « orator » mais il n'était pas « prudens », heureusement pour Rome et le droit romain; mais ça ne l'a pas empêché, à vrai dire, d'être une lumière à sa façon.) Comment se fait-il, de plus, que ce soit dans les pays qui sont censés être les moins technologiques de notre époque, les pays communistes par exemple, que les technologues aient une certaine influence et un certain pouvoir? A vrai dire, ils commencent à en avoir même en Europe occidentale, mais dans la mesure où ils ont une formation classique!

On pourrait même affirmer, comme constatation générale, que les spécialistes tendent à disparaître de nos jours de par le monde entier ou à devenir de moins en moins importants, à moins qu'ils n'aient un solide « background » classique. Comme quoi la machine est toujours assujettie à l'homme et à sa culture! Ah si l'homme pouvait et voulait dire NON au progrès technique! Mais il y a trop d'intérêts, non culturels, concrets et immédiats qui font triompher la machine. Le jour n'est pas encore venu où ce sera **payant** pour les êtres peu culturels de produire des choses très culturelles.

Au lieu d'enseigner de « nouvelles » sciences, pourquoi n'enseignerait-on pas des sciences « modernes », ou pour être plus précis, pourquoi ne pas enseigner et apprendre, de façon moderne, le droit, la médecine, le génie, la philosophie et les lettres, pour qu'ils coïncident de plus en plus, non plus avec l'injustice, la maladie, la machine abrutissante, les complexes et la laideur, mais avec la justice, la santé, la machine humanisante, la prise de conscience et le beau!

De toute façon, les sciences sociales devraient être enseignées et apprises avant, après ou en dehors de l'Université. D'ailleurs, le « retour » des Québécois vers les sciences « modernes » démontre que les Québécois ont compris, une fois de plus, quel était leur intérêt culturel, qui est celui de devenir un jour un peuple-élite.

L'engouement des Québécois pour tout ce qui est apparemment et artificiellement « nouveau », comme par exemple la publicité, les « public relations », l'informatique, les statistiques, les organigrammes, les structures, la planification, le mariage collectif, le « business administration », l'astrologie, le « dialogue », la « protection » de tout genre et les « mass media », devrait disparaître chez nous.

Mais on aime encore de nos jours au Québec les monstres, et les souvenirs de Percé, made in Japan, et les horreurs de l'aménagement paysager et les « gros chars » et la pollution (mais la vraie pollution, elle, est de nature intellectuelle et morale! Cependant, la lutte contre la pollution démontre que l'être humain commence à en avoir assez du progrès technique!) On ne s'offusque pas que la personne chargée de défendre les intérêts des citoyens contre l'Etat s'appelle « protecteur ». En français, on protège les faibles, les pauvres et... Mais, en québécois, protecteur a un autre sens!

(Cette institution, de toute façon, ne pourrait fonctionner que dans les pays nordiques, car ce serait combien dangereux pour un Etat latin que de reconnaître qu'il peut se tromper.) On confond encore sports et loisirs chez nous. On donne encore trop d'importance aux « victoires » de la Coupe Stanley et de la Coupe Grey. L'amateurisme et l'improvisation dans presque tous les domaines sont toujours très forts au Québec (mais ce ne sont pas de graves défauts en soi). Les gens continuent de changer trop souvent et trop facilement d'opinions (exemples: lorsque l'on est syndicaliste, on est syndicaliste « à mort »; lorsque l'on devient patron, on est patron à mort). On trouve encore normal, au Québec comme au Canada, qu'un parti politique s'appelle progressiste-conservateur ou libéral-conservateur! (Mais il faut dire qu'au sujet du dernier exemple, la chose serait plus plausible en Europe où libéral et conservateur ont le même sens. Mais chez nous, libéral est synonyme de radical, que je sache.) Mais ça passera, je l'espère du moins! D'ailleurs, le bon succès de Marcuse, le romantique, est assez révélateur (même si l'homme n'est pas encore, dans le fond, un être culturellement unidimensionnel, dans la mesure où il est élite, bien sûr).

Vers la victoire « finale » des Québécois

Pour que les mauvaises influences passent, et que les bonnes restent, il faut absolument que l'Etat du Québec, soutenu par son peuple et son élite, donne l'exemple et centuple les initiatives culturelles, s'il est « dans le vent »! Et qu'il institutionnalise des symboles nationaux, qui sont absolument nécessaires à la vie normale de toute nation qui se respecte.

Qu'il se définisse, d'abord, comme un Etat. Il n'y a rien qui l'empêche de se définir ainsi. L'Acte de 1867 n'a jamais été officiellement traduit en « français ». Ce qui veut dire que le Québec peut le traduire, conformément à ses intérêts!

Que l'Etat du Québec organise **une vie nationale intense.** Qu'il déclare, bien sûr, le québécois langue nationale du Québec (tout en gardant, pro tempore, le français et l'anglais comme langues officielles chez nous). Cette proclamation ne devrait pas tenir compte de ce que pensent les « autres », mais de ce que « nous » pensons. Les « autres » suivront, et comment! Ou alors . . .

Que l'Etat du Québec institue la citoyenneté québécoise. Il n'y a absolument rien qui l'empêche de ce faire dans l'état actuel des choses. Que le Québec crée son propre hymne national. Qu'il institue chez nous une fête vraiment nationale (en célébrant, par exemple, le jour de l'arrivée de Jacques Cartier, de Louis Hébert, ou de celui qui sera appelé, officiellement, le premier québécois, en Nouvelle-France). Et qu'il abandonne, un peu à la fois et par conséquence, la fête populaire, anachronique et « folklorique » de la Saint-Jean. (Car, qu'on le veuille ou pas, le folklore c'est véritablement de la culture anachronique ou superficielle, sans pour autant être de la culture artificielle comme peut l'être, par exemple, la machine considérée non pas comme un moyen, mais comme une fin en soi).

Que l'Etat du Québec institue au Québec des « cimetières nationaux » pour que le peuple québécois puisse rendre hommage à ses citoyens illustres (et qu'il dédie aussi ses rues et ses places plus importantes, non plus à des politiciens, à des « saints » ou à des « saintes », mais aux Québécois illustres. Et qu'on cesse aussi d'attribuer à des entités publiques des noms de personnes vivantes).

Il s'agit, bien entendu, de quelques exemples, mais c'est en vivifiant ainsi le passé, en le rendant illustre, ou éloquent, ou plus illustre, ou plus éloquent, que le présent deviendra de plus en plus intéressant, et le futur plus prometteur. Et ce dans tous les domaines, économiques, politiques ou sociaux.

Mais tout dépend, dans le fond, de l'élite, et si l'élite agit comme il se doit, il n'y aura plus de destin ou de problèmes « tragiques » au Québec, il n'y aura plus de « pays chauve d'ancêtres » (Gaston Miron dixit), mais seulement un destin ou des problèmes « sublimes ». Que l'élite fasse comprendre au peuple combien il est difficile, mais exaltant, et dans son intérêt, d'être élite, de penser et de vivre c'est-à-dire d'une façon originale et supérieure, intellectuellement et moralement combien il est exaltant, donc, que chacun fasse **sa** propre révolution culturelle. Et qu'elle assume et définisse, le plus tôt possible, la langue parlée et écrite des Québécois, en faisant abstraction des conséquences « éventuelles » de cette prise de conscience. Car, comme disait Camus, ce qui compte, pour un professeur, c'est de savoir « si, oui ou non, deux et deux font quatre » et non pas de savoir qu'elle est la récompense ou la peine que l'on attend d'un pareil raisonnement.

Bref, l'aspect positif de la culture québécoise, c'est que les Québécois veulent devenir, à tout prix, un peuple-élite. Ils veulent c'est-à-dire que la merveilleuse entente qui existe entre le peuple et l'élite de la nation dans le domaine de sa langue nationale se déploie dans tous les domaines, ce qui fait que les Québécois sont, de ce point de vue, on ne peut plus baroques et modernes à la fois (dans les autres domaines, il y a, en général, des maîtres et des esclaves).

L'aspect négatif de la culture québécoise, c'est que les Québécois ne savent pas ce que c'est véritablement que d'être élite, puisqu'ils n'ont jamais eu de véritable élite, et puisque l'on ne peut être authentiquement baroque et moderne que dans la mesure où l'on a été déjà authentiquement classique et archaïque. Car les êtres humains ont besoin d'un passé pour être vraiment modernes, comme l'a justement remarqué Ortega Y Gasset.

Mais, nonobstant ce fait, dans le fond normal, qu'il y ait un élément positif et un élément négatif, le bilan de la culture québécoise me paraît très captivant (c'est ce que Fernand Ouellette a récemment appelé, inconsciemment peut-être, une « sourde incandescence »).

Ainsi, la culture ne sera plus une « constante » dont on parle continuellement mais une « constante » à vivre. Et peut-être le peuple «s'élitisera-t-il » pour de bon? Et pourquoi pas, s'il a déjà été capable de devenir, temporairement, élite, s'il a créé par surcroît une certaine élite de son sein et s'il souffre du « complexe » de ne pas être élite, même s'il « vit » bien.

Mais pour ce faire, il faudrait qu'il existe vraiment une élite, qu'elle soit relativement inaccessible et que le peuple puisse et veuille rejoindre l'élite. Que l'élite soit intransigeante en matière de principes et relativement inaccessible surtout, car la qualité, qui constitue l'essence même de l'élite, n'existe que dans la mesure où elle est partiellement inaccessible. Autrement, on tombe devant les dangers culturels qui nous guettent continuellement de nos jours, à savoir la facilité, le confort, la médiocrité, la banalité et le conformisme.

Si le peuple s'élitise pour de bon, ce sera alors la victoire « finale » du peuple québécois devenu donc naturellement et historiquement élite, et ayant donc abouti à la plus grande perfection humaine qui soit possible sur cette planète appelée terre. (Mais ça ne veut pas dire que les êtres humains deviendront des héros ou des dieux, car si l'être humain tend inlassablement vers la perfection, il n'est authentique que dans la mesure où il ne devient pas perfection absolue mais perfection relative, ce qui éliminera, de plus en plus, pour les hommes, le besoin d'avoir des héros et des dieux à l'extérieur d'eux-mêmes.)

Si la chose se produit, le Québec (pourquoi ne pas écrire Kébek, comme nous le suggère le poète Raoul Duguay) montrera aux autres nations les chemins de l'avenir. Les Québécois pourront s'apercevoir que ce n'est pas vrai, mais pas vrai du tout, qu'ils sont « inhabitables » comme le pense erronément Jean Lemoyne. (D'ailleurs, inhabitables par rapport à qui? Par rapport aux autres? Toujours la même maudite crainte des autres? Par rapport à nous? Mais le fait de nous rendre compte de cette éventuelle inhabilité nous rend, et comment, habitables! Les Québécois, en fait, ne sont pas plus ou moins sauvages ou invivables que les autres; mais ils le sont, de plus en plus, de façon différente et spéciale, et ça c'est drôlement important et intéressant pour eux et pour les autres.) Ils pourront enfin dire aux autres, avec Gaston Miron: « Je veux que les hommes sachent que nous savons ». Ils n'auront plus besoin de poser cette question combien ennuyeuse qu'ils posent toujours à tout le monde: « Qu'est-ce que vous faites dans la vie? ». Car ils n'auront plus besoin de se situer en situant les autres de cette façon on ne peut plus **insécure.**

En ayant donc rendu accessible l'inaccessible, du moins partiellement et relativement, en ayant c'est-à-dire réalisé la vraie démocratisation de la culture (vers le haut et non pas vers le bas, comme on a tendance à la faire dans certains milieux). Il deviendra alors le maître à penser des nouvelles générations humaines, préoccupées surtout par les nombreux et délicats problèmes soulevés par la participation et par la révolution culturelles, à savoir les problèmes soulevés par l'élitisation des masses. Oui, « tout se résoudra en beauté » (Hubert Aquin).

« Je ne veux rien dire de plus », comme l'a déjà dit Alain Grandbois, car « c'est surtout en temps de pluie qu'on veut des visages gais », selon l'expression d'Alain. (Je délire, je le sais, mais je ne veux pas renoncer à mes rêves d'enfant et à mes devoirs stendhaliens, même si je ne me suis pas encore débarrassé d'une certaine dose de scepticisme, même si nous sommes tous condamnés à mourir physiquement, et même si parfois le jeu de la vie devient une farce macabre. Comme dirait Aline Fortin, une amie à moi, c'est ce qui rend, à plusieurs égards, la vie qui m'a été donnée, plus culturelle que les autres! C'est pourquoi j'espère que dans mon prochain livre, si prochain livre il y aura, et dont le sujet devrait être une culture qui « s'appelle désormais québécoise », je ne prononcerai pas cette phrase que prononce tout homme qui a renoncé: « plus je connais les hommes et les femmes, surtout les femmes, plus j'aime les animaux ». Mais sait-on jamais . . .)

Et alors, et seulement alors, ceux qui s'appellent désormais les Québécois, et qui autrefois se faisaient appeler « Français », « catholiques », « canadiens » et « Canadiens français », ne seront plus des « exilés », des maltraités, des frustrés, des complexés et des mal-aimés.

Ils seront désormais des « ingénus » (dans le sens romain et britannique du terme), à savoir des êtres profondément culturels, des gens « naturellement libres et créateurs » (des modernes « paysans-seigneurs » et « filles du roi » quoi!).

Des êtres « aux mille ressources », qui connaîtront, dans tous les domaines, et non plus seulement dans celui de la procréation, « l'indicible joie de créer », comme l'a si bien dit, un jour, l'auteur de **Trente Arpents**.

ANNEXE 1

(Cette « libre opinion » a paru dans le « Devoir » du 4 juin 1971)

La culture québécoise est-elle « francophone »?

Il y a quelques jours, un éditorialiste du « Devoir » a affirmé, noir sur blanc, que le Québec devrait avoir, « logiquement », des bureaux d'immigration surtout dans les pays francophones d'Afrique. Je dois dire tout de suite que ce « logiquement » m'a fait sursauter et je me demande, très sérieusement, si ça n'a pas fait sursauter pas mal de Québécois. Car, si j'ai bien compris, le Québec serait « logiquement » de langue et de culture françaises, les pays « francophones » d'Afrique seraient « logiquement » de langue et de culture françaises donc « logiquement ».

Un syllogisme « logique »?

Mais s'agit-il, en l'occurrence, d'un syllogisme « logique »? Voyons voir et formulons-le comme il se doit. La proposition principale se lirait comme suit: « Tous les francophones sont de culture française ». On ne peut alors s'empêcher de penser que si le Premier ministre du Royaume-Uni parlait par hasard français, il deviendrait automatiquement de culture française! La proposition mineure se lirait comme suit: « Certains Africains et les Québécois sont de langue française ». Mais, et là le problème devient on ne peut plus fondamental et délicat, les Africains francophones parlent-ils français comme c'était leur langue nationale ou pas plutôt parce qu'elle leur apparaît comme une langue aristocratique et pratique à la fois? Et les Québécois, parlent-ils vraiment le français? A moins d'être aveugle, et sourd, on ne peut pas ne pas constater que les Québécois, en tant que peuple, parlent une langue néo-française, le québécois précisément. Il ne faudrait surtout pas trop se scandaliser à ce sujet, car s'il y a eu et s'il y a des langues néo-latines, pourquoi ne pourrait-il pas y avoir des langues néo-françaises? Ce serait d'ailleurs, tout à l'honneur, historique, de la langue et de la culture françaises! De toute façon, le monde a toujours été une tour de Babel du point de vue linguistique et ça n'a jamais empêché les peuples de vivre et de prospérer culturellement à la condition bien sûr d'assumer leurs langues, dialectes ou patois.

C'est pourquoi, je ne saurais accepter la conclusion du syllogisme dont il est question, et selon lequel (à l'effet que, en bon québécois) les Africains francophones et les Québécois seraient de même culture. Que nous soyons tous fils du même Dieu, d'accord. Mais, que la culture soit le « besoin satisfait » (Hegel) ou « ce qui reste quand on a tout oublié » (Herriot) ou « ce qui consiste à savoir se situer » (Siegfried) ou « une façon spéciale de penser » ou enfin « une façon spéciale de vivre et de penser », le propre de la culture québécoise, sa spécificité, son originalité, c'est sa langue, le québécois c'est-à-dire. Et cette spécificité, les Québécois ne la partagent avec aucun autre peuple au monde, me semble-t-il.

Que l'élite québécoise, si elle existe, parle d'autres langues, tant mieux. Mais ce n'est que dans la mesure où l'élite et le peuple québécois sont ou seront fiers et orgueilleux de leur spécificité, de leur langue nationale (et donc du génie de leur langue) que des œuvres québécoises sont ou seront culturellement valables et exaltantes, que ce soit dans les domaines spécifiquement linguistiques ou autres, voire dans d'autres langues! Autrement, la culture québécoise demeurera toujours une sous-culture et les hommes « cultivés » de chez-nous continueront de citer le Petit Larousse ...

La force nationale du « vulgaire »

C'est lorsque les élites européennes ont commencé à penser, à vivre, à écrire, à composer en « vulgaire » que sont nées, en Europe, au Moyen Age, les littératures nationales. C'est lorsque l'on s'est débarrassé du latin, d'une certaine façon, que les nations européennes ont pris conscience de leurs particularismes et ont compris comment se situer les unes par rapport aux autres, même si elles se sentaient profondément attachées à la même civilisation gréco-romaine-chrétienne (quel joli mélange que cette civilisation!). Et quelle différence, au Moyen Age, entre la littérature « latine » et les littératures « vulgaires ». La première, monotone, pauvre et stérile: les deuxièmes, pleines de vie, d'inspiration, de fantaisie, d'imagination et de génie créateur!

Dante avait cru faire un chef-d'œuvre avec son traité latin, « De Monarchia », mais c'est avec son œuvre « vulgaire » la « Comédie », qu'il a rejoint des sommets combien merveilleux et insurmontables peut-être dans le monde de la poésie. Il n'y a que des érudits, et encore, qui perdent leur temps à lire une œuvre aussi banale que le « De Monarchia ». Mais combien de gens ne lisent-ils pas encore, avec la même émotion et les mêmes sentiments, l'œuvre impérissable qui s'appelle désormais « divine ». Divine parce que écrite en « vulgaire » (par un aristocrate et un latiniste, bien entendu).

La langue du peuple

Je délire, je le sais, mais je rêve d'un Québec qui aurait le courage de proclamer le québécois langue nationale du Québec (ce qui ne serait pas en contradiction, mais alors pas du tout, avec la proclamation éventuelle du français et de l'anglais comme langues officielles au Québec, car il n'y a pas et il ne peut y avoir de contradiction entre plusieurs cultures florissantes). Ça donnerait de la force, de l'énergie, de la vitalité, de l'originalité, du génie, de la fierté et de l'orgueil à l'élite et au peuple québécois, et ce dans tous les domaines humains ou, si l'on veut, ça ferait éclater ce qui dort depuis trop longtemps dans l'âme québécoise qui n'attend autre chose que le début d'un temps nouveau dans le domaine culturel.

Ça sanctionnerait officiellement une situation de fait présentement confuse mais quand même assez claire pour s'apercevoir que la culture québécoise est beaucoup plus « normande », donc « nordique » et par conséquent plus « scandinave » et « nord-américaine » que « francophone ». (Je me demande, d'ailleurs, à ce sujet, si c'est vraiment français que de dire qu'une culture ou une société ou un gouvernement sont « francophones ».

Tout au plus, la culture québécoise est-elle « néo-francophone », ce qui justifierait peut-être des relations avec le monde francophone, privilégiées ou exclusives? Il ne faudrait pas oublier quand même que les échanges culturels, qui sont absolument nécessaires pour saisir les cultures « particulières » des peuples, et pour aboutir à une culture universelle plus « générale » n'ont véritablement de valeur que s'ils ont lieu entre des sociétés et des êtres différents et non pas semblables!

Et, dans mon rêve qui continue, je rêve aussi d'un Du Bellay québécois, qui écrirait, à l'instar du Du Bellay français du 16ème siècle, une « Défense et Illustration de la langue québécoise ». Mais s'agit-il, cette fois-ci d'un rêve? Il suffirait, dans le fond, de mettre « français » à la place de « latin » et « québécois » à la place de « vulgaire » et les jeux seraient faits! Il est vrai cependant, me dira-t-on, que selon le Président de la République française, Du Bellay est plus « limité » que Ronsard.

La langue est, en conclusion, le seul domaine, me semble-t-il, où c'est le peuple qui finit toujours par gagner. Je m'explique. Il y a et il y aura toujours des élites polyglottes et à vrai dire il n'y a des élites que dans la mesure où elles sont polyglottes. Il suffit de penser à l'élite romaine qui se faisait un devoir de parler et bien, le grec, et ce en toutes circonstances. Le jour viendra-t-il où les peuples seront polyglottes? Espérons-le! Mais avant qu'ils ne deviennent polyglottes, il faudra bien qu'ils assument leurs cultures.

Et ce n'est que dans la mesure où le peuple québécois sera fier de son « vulgaire » (qu'il soit parlé très peu ou par beaucoup de gens, ça n'a absolument aucune importance), et dans la mesure où l'élite québécoise acceptera totalement l'esprit du « vulgaire » de son peuple, qu'il se formera véritablement une nation québécoise. Une nation enracinée dans son territoire et s'identifiant avec le génie de sa langue, capable de s'exprimer, culturellement, de la façon la plus particulière et la plus merveilleuse qui soit.

Alors, et seulement alors, le Québec sera « logiquement » ouvert, prudemment mais sûrement, sur tout le monde, qu'il soit francophone, francophile ou francophobe.

ANNEXE 2

(Cette lettre a paru dans le « Devoir » du 4 août 1971).

* A noter que le titre original de cette lettre était: « Le « snobisme »
linguistique de certains québécois ».

La vraie solution linguistique
devra venir du peuple

Depuis quelque temps, les discussions sur la véritable langue
nationale des Québécois font rage au « Devoir ». A vrai dire, cela ne me surprend guère. Je m'explique. J'ai vraiment
l'impression que la bataille « contre » l'anglais est sur le
point de se terminer avec la « victoire » du français. De plus
en plus, les Québécois se rendent compte de cette situation
de fait. Dès lors, leurs préoccupations majeures se porte-
ront davantage sur la véritable langue nationale des Québécois. Ce débat devient donc fondamental, même s'il n'est
encore ni urgent ni prioritaire.

Il y a eu, et il y a et il y aura toujours des centaines de
langues et de milliers de dialectes dans cette planète appelée
terre. Ce qui différencie une langue par rapport aux autres,
ce n'est pas la « quantité » de personnes parlant une langue
au lieu d'une autre, mais bien plutôt sa « qualité ». La
qualité d'une langue est « normale », me semble-t-il, lorsque
l'élite d'une nation s'inspire largement de la langue parlée
de son peuple, c'est-à-dire lorsque l'élite assume et définit
pleinement et entièrement le « vulgaire » de son peuple. Or,
il faudrait beaucoup, énormément, trop de courage pour
dire que le peuple québécois parle français. Devant cette
situation de fait indéniable, faut-il agir comme l'autruche?
Pourquoi pas? Certes, pourquoi pas! Mais alors, il faudra
attendre des siècles et des siècles avant que les Québécois

ne se débarrassent de leurs complexes. Il faudra attendre des siècles et des siècles avant que les Québécois n'aient une littérature « normale ». Alors que la seule et unique solution serait d'assumer et de définir, une fois pour toutes et le plus tôt possible, la langue néo-française que les Québécois parlent et écrivent depuis des siècles déjà. Mais y a-t-il au Québec une élite pour ce faire? La situation au Québec est-elle si paralysante ou dangereuse que ça pour qu'on écarte, à la légère, un des problèmes fondamentaux de chez nous?

La Gaule a été, pendant des siècles et des siècles, au moins bilingue, mais c'est la langue des vaincus, le français, qui a gagné sur la langue des vainqueurs, la langue des Germaniques et des Normands. La Grande-Bretagne a été, pendant des siècles et des siècles, au moins bilingue, mais c'est la langue des vaincus, l'anglais, qui a gagné sur la langue des vainqueurs, le français. A cause, bien entendu, non pas de la quantité, mais de la qualité de l'élite et du peuple « vaincus ».

Il n'y a pas de grammaire québécoise? Faut-il se rappeler que la première grammaire française importante a été « imprimée » en Grande-Bretagne, au 14ème siècle, et en France, seulement au 16ème siècle? Que Montaigne, au 16ème siècle, avait été empêché, durant son enfance, d'apprendre le français parce que vulgaire? Que le français est devenu langue officielle en France seulement au 16ème siècle, avec François 1er, alors que les Franaçis parlaient leur langue depuis des siècles déjà?

Le besoin de communiquer? Certes, mais il faut avant tout être soi-même pour communiquer avec les autres! D'autre part, si on veut communiquer avec les autres, il faudrait apprendre, et vite, l'anglais! Il y a toujours eu des langues internationales et il y en aura toujours. Il y a eu le grec, le latin et le français; il y a, de nos jours, l'anglais. Mais est-ce que ça a empêché la merveilleuse éclosion des « particularismes » linguistiques ? Et d'ailleurs, les Américains parlent-ils vraiment anglais? Ou ne sont-ils pas plutôt en train de « polluer » l'anglais, qui précisément parce que langue pratiquement internationale est potentiellement poluable. A moins que l'anglais ne devienne une langue culturellement internationale! Mais alors comment expliquer les néologismes greco-romains auxquels on a encore recours de nos jours pour « inventer » de nouveaux mots?

La langue est un moyen permanent d'expression et la langue une forme linguistique idéale qui « s'impose » à un groupe national. Les deux principes fondamentaux à ce sujet, sont, me semble-t-il, les suivants: il n'y a pas et il ne saurait y avoir de langues pures dans ce monde; (pourquoi dit-on soldat et non plus soudard en français?; pourquoi avoir emprunté de l'italien une règle aussi « illogique » que celle du participe passé en français? La loi suprême dans ce domaine, c'est l'usage. Et l'usage, c'est le peuple qui le détermine et l'élite qui le formalise. La langue, c'est la création la plus originale et la plus sublime qui soit d'un peuple. L'élite se doit d'assumer et de définir cette création populaire, en rendant le « vulgaire » de son peuple « illustre » et « éloquent ». Mais y a-t-il une élite pour ce faire au Québec? Si par élite on entend la minorité qualitative de « nobles », de gens c'est-à-dire intellectuellement et moralement supérieurs, on peut se poser, sérieusement et douloureusement, la question. Si par élite on entend la minorité qualitative de snobs (qui, soit dit en passant, est un latinisme), de gens c'est-à-dire « sine nobilitate », sans noblesse aucune, du point de vue intellectuel et moral, il faut bien reconnaître qu'il y a élite au Québec, mais ce n'est pas d'elle que viendra le salut « culturel » du Québec. Heureusement, nous avons au Québec un peuple qui devient de plus en plus élite, un peuple qui n'a pas oublié qu'il était constitué autrefois non pas de cultivateurs mais de « paysans-seigneurs », un peuple nordique et « protestant » (puisqu'il refuse de plus en plus les faux idéaux de sa pseudo-élite), qui a choisi son destin, tragique et sublime à la fois, d'être un jour polyglotte, donc élite, culturellement parlant. Mais ce, après avoir « choisi » sa véritable langue nationale, une langue néo-française, le québécois précisément.

GIUSEPPE TURI
Québec, le 31 juillet 1971.

ANNEXE 3

(Cette lettre a paru dans le « Devoir » du 20 septembre 1971)

* A noter que le titre original de cette lettre était: « Devrions-nous parler encore le langage des singes? »

La seule langue possible
pour les Québécois

Depuis que le « Devoir » a publié, le 4 juin dernier, ma « libre opinion » sur la culture québécoise, où je me posais des questions très sérieuses sur la « francité » du Québec et de la langue québécoise, une vingtaine d'opinions ont été émises sur le sujet dans ce journal. Et le « grand débat » qui a vu le jour a été à la fois technique, politique, scientifique, économique, sociologique, passionnel, sentimental et semi-sérieux. Mais une constante semble se dégager de tout ce débat combien fondamental pour le Québec: la langue parlée au Québec, son phénomène et son problème deviennent un sujet on ne peut plus vital chez nous. Et cela se comprend facilement, si l'on songe un seul instant que la langue d'un peuple, c'est son bien le plus précieux qui soit, c'est ce qui fait qu'un peuple est et veut demeurer différent des autres, c'est la somme globale de toutes ses aspirations, ses besoins, ses intérêts, ses conflits et ses contradictions, c'est à la fois l'âme et le corps d'un peuple.

Mais le québécois est-il une langue? Et les Québécois sont-ils un peuple?

Point n'est besoin d'être un linguiste chevronné ou un philosophe de qualité pour savoir que les « puristes », à l'instar de Malherbe, sont des « docteurs en négative ». Depuis que le monde est monde, on assiste et on participe à la merveilleuse éclosion de « nouvelles » langues, entre lesquelles, il faut bien le souligner, il ne saurait y avoir cependant de solution de continuité. Si les « puristes » étaient conséquents avec eux-mêmes, ils devraient prôner comme seule langue possible et imaginable pour les êtres humains le langage des singes! Mais l'homme a refusé, depuis longtemps, à tort ou à raison, son animalité. Et il a créé, entre autres, des centaines et des milliers de langues. Et il en créera des centaines et des milliers encore. Car rien, absolument rien ne peut arrêter la mystérieuse évolution des langues.

Le québécois est une langue néo-française au même titre que le français est une langue néo-latine. Il y a entre le français et le québécois, me semble-t-il, la même différence qu'il y a entre le latin et l'italien. L'italien, comme tout le monde le sait, c'est du latin moderne, et pourtant quelle différence entre le latin « classique » et l'italien « classique »!

Une langue ce n'est pas seulement une question de lexique, c'est aussi et surtout une question de phonétique, de morphologie et de syntaxe. C'est pourquoi, le québécois est une langue à la fois originale et néo-française (ou néo-française-anglaise-américaine, diraient les méchants!). Et il va demeurer une langue néo-française, dans la mesure où l'on acceptera et reconnaîtra, une fois pour toutes, sa spécificité propre. C'est pourquoi aussi on ne devrait pas trop s'en faire de l'apparente « anglicisation » du québécois. Faudrait-il se rappeler que la majorité des mots anglais sont d'origine latine et pourtant l'anglais est une langue germanique. Ou faudrait-il se rappeler que la majorité des mots roumains sont d'origine slave et pourtant le roumain est une langue néo-latine. De toute façon, si l'anglicisation du québécois est un « danger », ce qui n'est pas sûr, ce n'est pas du côté du lexique qu'il faudrait la craindre.

Il n'y a pas de grammaire québécoise? Mais le québécois est

une « nouvelle » langue qui se « fait ». Les grammairiens et les « puristes » québécois viendront, c'est une question de temps, et mieux vaudrait qu'ils ne viennent jamais, mais ils viendront!

Et l'influence des « mass media » et des moyens ultra-modernes de communications qui donnent l'impression que le monde est redevenu un village? Mais nonobstant ses faux prophètes, le « message » n'est pas un « massage » ou s'il l'est, il est un bien mauvais « massage ». Car le fait de vouloir « imposer » le français par les moyens modernes de communications risquerait, à ne pas en douter, d'« énerver » davantage les Québécois et de les rendre, on voudra bien m'excuser l'expression, plus francophobes encore, ce qui serait combien, mais alors combien, malheureux. Le québécois, en fait, ce n'est pas seulement une « nouvelle » langue, c'est aussi et surtout l'intention inconsciente et consciente à la fois que les Québécois ont de devenir, de la façon la plus claire possible, un peuple particulier, culturellement parlant.

Les Québécois ont un besoin « viscéral » de s'identifier à leur Terre-Québec. Un moyen puissant, peut-être le plus puissant qui soit, ne serait-ce pas celui d'accepter et de reconnaître chez nous le québécois comme étant notre langue officiellement nationale? Je crois que ce serait alors plus facile, beaucoup plus facile, de le faire coïncider avec l'essentiel du français universel. Ce qui rendrait les Québécois peut-être pas des francophones à 100%, mais des francophiles à coup sûr. Et la « francophilie », c'est autrement plus important que la « francophonie »! Le respect réciproque ne ferait que s'accroître entre le Québec et sa mère patrie. Et les Québécois ne seraient plus forcés de parler anglais à Paris!

On pourrait se retrouver au Québec, grosso modo, dans la même situation que la Croatie, où les gens parlent leur langue nationale, qui s'appelle officiellement croate, même si cette langue coïncide pratiquement avec le serbe!

Pourquoi avoir écrit cet article sur le québécois en français? Mais pourquoi Dante a-t-il alors exalté, au Moyen Age, l'« éloquence » du « vulgaire illustre » en latin?

Nier au québécois sa qualité de langue, c'est nier aux Québécois leur personnalité culturelle, c'est nier aussi et surtout à la « francophonie » la capacité de créer de « nouvelles » langues et de « nouvelles » cultures, c'est prononcer, en conclusion, et en français, un sermon funèbre sur le français.

GIUSEPPE TURI
Québec, le 16 septembre 1971.

NOTICE BIOGRAPHIQUE
SUR L'AUTEUR

Giuseppe Turi est né à Casablanca (Maroc), de père né en Italie et de mère née à la Guadeloupe.

Il a vécu et étudié au Maroc, Italie, Belgique, France et Canada. Il est titulaire d'un baccalauréat classique, d'un Certificat d'Etudes Comparées de l'Institut catholique de Paris, d'une maîtrise en droit, d'une maîtrise en science politique et d'un doctorat en droit.

Il a été, tour à tour, avocat, journaliste, propriétaire d'une agence internationale de relations publiques et professeur d'université. Il est l'auteur de plusieurs essais et articles dans des domaines se rapportant aux affaires publiques et aux affaires culturelles.

Il est arrivé au Canada, en 1958, sous les auspices du Conseil des Arts du Canada, afin de poursuivre des recherches comparées sur les systèmes politico-juridiques canadien et québécois.

Il est présentement coordonnateur (affaires constitutionnelles, éducation et culture) au ministère des Affaires intergouvernementales du Québec. De plus, il est membre du Conseils des Arts du Québec (dont il a été, entre autres, président de la Commission de l'Immigration et membre de la Commission de la Diffusion de la Culture). Il est membre également de la Commission de Géographie du Québec.

Le 4 juin 1971, il publiait dans le Devoir une libre opinion dans laquelle il se posait des questions sérieuses sur la « francité » de la langue et de la culture québécoise. Cela devait susciter chez les lecteurs du Devoir une longue polémique qui allait durer plus de quatre mois. C'est à la suite de cette polémique qu'il s'est décidé de publier le présent livre qui constitue, en quelque sorte, son cri d'amour, un peu angoissé, pour la « nouvelle » langue et la « nouvelle » culture nationales des Québécois.

Achevé d'imprimer sur les presses de
L'IMPRIMERIE ELECTRA
pour
LES EDITIONS DE L'HOMME LTÉE

Ouvrages parus
chez les Éditeurs du groupe Sogides

Ouvrages parus aux
ÉDITIONS
DE L'HOMME

La bibliothèque du
MONDE NOUVEAU

Une culture appelée québécoise,
Giuseppe Turi, **2.00**

PUBLICATIONS RÉCENTES OU À
PARAÎTRE PROCHAINEMENT

Droit civil et société hiérarchique,
Laurent Laplante

Les Antipropos, tome II et textes inédits,
Jean Lévesque

HISTOIRE ● BIOGRAPHIES ● BEAUX-ARTS

**Blow-up des grands de la chanson
au Québec,** M. Maillé, **3.00**

Camillien Houde, H. Larocque, **1.00**

Ce combat qui n'en finit plus,
A. Stanké et J.-L. Morgan, **3.00**

Charlebois, qui es-tu, R. L'Herbier, **3.00**

**Chroniques vécues des modestes origines
d'une élite urbaine,** H. Grenon, **3.50**

Conseils à ceux qui veulent bâtir,
A. Poulin, arch., **2.00**

Des hommes qui bâtissent le Québec,
en collaboration, **3.00**

Félix Leclerc, J.-P. Sylvain, **2.50**

Fête au village, P. Legendre, **2.00**

«J'aime encore mieux le jus de betterave»,
A. Stanké, **2.50**

Le Fabuleux Onassis, C. Cafarakis, **3.00**

Juliette Béliveau, D. Martineau, **3.00**

La Bolduc, R. Benoît, **1.50**

La France des Canadiens, R. Hollier, **1.50**

La mort attendra, A. Malavoy, **1.00**

La vie orageuse d'Olivar Asselin,
(2 tomes), A. Gagnon, **1.00** chacun
(Edition de luxe), **5.00**

Le drapeau canadien, L.-A. Biron, **1.00**

Le vrai visage de Duplessis, P. Laporte, **2.00**

Les Canadians et nous, J. de Roussan, **1.00**

Les Acadiens, E. Leblanc, 2.00

Les trois vies de Pearson,
J.-M. Poliquin et J. Beal, 3.00

L'imprévisible Monsieur Houde,
C. Renaud, 2.00

Michèle Richard raconte Michèle Richard,
M. Richard, 2.50

Napoléon vu par Guillemin,
H. Guillemin, 2.50

Notre peuple découvre le sport
de la politique, H. Grenon, 3.00

On veut savoir, L Trépanier,
(4 tomes), 1.00 chacun

Prague, l'été des tanks,
En collaboration, 3.00

Premiers sur la lune,
N. Armstrong, M. Collins, E. Aldrin, 6.00

Prisonnier à l'Oflag 79, Maj. P. Vallée, 1.00

Québec 1800, En collaboration, 15.00

Rescapée de l'enfer nazi,
R. Charrier (Madame X), 1.50

Riopelle, G. Robert, 3.50

Un Yankee au Canada, A. Thério, 1.00

LITTERATURE (romans, poésie, théâtre)

Amour, police et morgue, J.-M. Laporte, 1.00

Bigaouette, Raymond Lévesque, 2.00

Bousille et les justes, G. Gélinas, 2.00

Candy, Southern & Hoffenberg, 3.00

Ceux du Chemin taché, A. Thério, 2.00

De la Terre à la Lune, J. Verne, 1.50

Des bois, des champs, des bêtes,
J.-C. Harvey, 2.00

Dictionnaire d'un Québécois,
C. Falardeau, 2.00

Ecrits de la taverne Royal,
En collaboration, 1.00

Gésine, Dr R. Lecours, 2.00

Hamlet, prince du Québec, R. Gurik, 1.50

"J'parle tout seul quand j'en narrache",
E. Coderre, 1.50

La mort d'eau, Y. Thériault, 2.00

Le printemps qui pleure, A. Thério, 1.00

L'Ermite, T. L. Rampa, 3.00

Le roi de la Côte Nord, Y. Thériault, 1.00

Le vertige du dégoût, E. Pallascio-Morin 1.00

L'homme qui va, J.-C. Harvey, 2.00

Les cents pas dans ma tête, P. Dudan, 2.50

Les commettants de Caridad,
Y. Thériault, 2.00

Les mauvais bergers, A. Ena Caron, 1.00

Les propos du timide, A. Brie, 1.00

Les temps du carcajou, Y. Thériault, 2.50

Les vendeurs du temple, Y. Thériault, 2.00

Marche ou crève Carignan, R. Hollier, 2.00

Mes anges sont des diables,
J. de Roussan, 1.00

Montréalités, A. Stanké, 1.50

Ni queue ni tête, M.-C. Brault, 1.00

Pays voilés, existences, M.-C. Blais, 1.50

Pomme de pin, L. Pelletier-Dlamini, 2.00

Pour la grandeur de l'Homme,
C. Péloquin, 2.00

Prix David, C. Hamel, 2.50

Tête Blanche, M.-C. Blais, 2.50

Ti-Coq, G. Gélinas, 2.00

Toges, bistouris, matraques et soutanes,
En collaboration, 1.00

Topaz, L. Uris, 3.50

Un simple soldat, M. Dubé, 1.50

Valérie, Y. Thériault, 2.00

LINGUISTIQUE

Améliorez votre français, J. Laurin, 2.50

L'anglais par la méthode choc,
J.-L. Morgan, 2.00

Le langage de votre enfant,
C. Langevin, 2.50

Les verbes, J. Laurin, 2.50

Mirovox, H. Bergeron, 1.00

Petit dictionnaire du joual au français,
A. Turenne, 2.00

Savoir parler, R. Salvator-Catta, 2.00

RELIGION

L'abbé Pierre parle aux Canadiens,
Abbé Pierre, **1.00**

Le chrétien en démocratie,
Abbés Dion et O'Neil, **1.00**

Le chrétien et les élections,
Abbés Dion et O'Neil, **1.50**

L'Eglise s'en va chez le diable
G. Bourgeault, s.j., J. Caron, ptre
et J. Duclos, s.j. **2.00**

LE SEL DE LA SEMAINE (Fernand Seguin)

Louis Aragon, 1.00
François Mauriac, 1.00
Jean Rostand, 1.00

Michel Simon, 1.00
Han Suyin, 1.00
Gilles Vigneault, 1.00

LOISIRS

Apprenez la photographie avec
Antoine Désilets, 3.50

Bricolage, J.-M. Doré, **3.00**

Camping-caravaning, en collaboration, **2.50**

Cinquante et une chansons à répondre,
P. Daigneault, **2.00**

Guide du Ski, Québec 72,
en collaboration, **2.00**

J'ai découvert Tahiti, J. Languirand, **1.00**

Jeux de société, L. Stanké, **2.00**

Informations touristiques: LA FRANCE,
en collaboration, **2.50**

Informations touristiques: LE MONDE,
en collaboration, **2.50**

Juste pour rire, C. Blanchard, **2.00**

La technique de la photo, A. Desilets, **3.50**

L'hypnotisme, J. Manolesco, **3.00**

Le guide de l'astrologie, J. Manolesco, **3.00**

Le guide de l'auto (1967), J. Duval, **2.00**

(1968-69-70-71), 3.00 chacun

Course-Auto 70, J. Duval, **3.00**

Le guide du judo (technique au sol),
L. Arpin, **3.00**

Le guide du judo (technique debout),
L. Arpin, **3.00**

Le Guide du self-défense, L. Arpin, **3.00**

Le jardinage, P. Pouliot, **3.00**

Les cabanes d'oiseaux, J.-M. Doré, **3.00**

Les courses de chevaux, Y. Leclerc, **3.00**

Trucs de rangement No 1, J.-M. Doré, **3.00**

Trucs de rangement No 2, J.-M. Doré, **3.00**

« Une p'tite vite! », G. Latulippe, **2.00**

Vive la compagnie!, P. Daigneault, **2.00**

PSYCHOLOGIE PRATIQUE • SEXOLOGIE

Comment vaincre la gêne et la timidité,
R. Salvator-Catta, **2.00**

Complexes et psychanalyse,
P. Valinieff, **2.50**

Cours de psychologie populaire,
En collaboration, **2.50**

Développez votre personnalité, vous
réussirez, S. Brind'Amour, **2.00**

Hatha-yoga, S. Piuze, **3.00**

Helga, F. Bender, **6.00**

L'adolescent veut savoir,
Dr L. Gendron, **2.00**

L'adolescente veut savoir,
Dr L. Gendron, **2.00**

L'amour après 50 ans, Dr L. Gendron, **2.00**

La contraception, Dr L. Gendron, **2.00**

La dépression nerveuse,
En collaboration, **2.50**

La femme et le sexe, Dr L. Gendron, **2.00**

La femme enceinte, Dr R. Bradley, **2.50**

L'homme et l'art érotique,
Dr L. Gendron, **2.00**

La maman et son nouveau-né,
T. Sekely, **2.00**

La mariée veut savoir, Dr L. Gendron, **2.00**

La ménopause, Dr L. Gendron, **2.00**

La merveilleuse histoire de la naissance,
Dr L. Gendron, **3.50**

La psychologie de la réussite,
L.-D. Gadoury, **1.50**

La sexualité, Dr L. Gendron, **2.00**

La volonté, l'attention, la mémoire,
R. Tocquet, **2.50**

Le mythe du péché solitaire,
J.-Y. Desjardins et C. Crépault, **2.00**

Le sein, En collaboration, **2.50**

Les déviations sexuelles, Dr Y. Léger, **2.50**

Madame est servie, Dr L. Gendron, **2.00**

Les maladies psychosomatiques,
Dr R. Foisy, **2.00**

Pour vous future maman, T. Sekely, **2.00**

Quel est votre quotient psycho-sexuel?,
Dr L. Gendron, **2.00**

Qu'est-ce qu'un homme?,
Dr L. Gendron, **2.00**

Qu'est-ce qu'une femme?,
Dr L. Gendron, **2.50**

Teach-in sur la sexualité,
En collaboration, **2.50**

Tout sur la limitation des naissances,
M.-J. Beaudoin, **1.50**

Votre écriture, la mienne et celle des
autres, F.-X. Boudreault, **1.50**

Votre personnalité, votre caractère,
Y.-B. Morin, **2.00**

Vos mains, miroir de la personnalité,
P. Maby, **3.00**

Yoga, santé totale pour tous,
G. Lescouflair, **1.50**

Yoga Sexe, Dr L. Gendron, S. Piuze, **3.00**

SCIENCES NATURELLES

La taxidermie, J. Labrie, **2.00**

Les mammifères de mon pays,
J. St-Denys Duchesnay et R. Dumais, **2.00**

Les poissons du Québec,
E. Juchereau-Duchesnay, **1.00**

SCIENCES SOCIALES ● POLITIQUE

Bourassa-Québec, R. Bourassa, **1.00**

Connaissez-vous la loi?, R. Millet, **2.00**

Dynamique de Groupe, J. Aubry, s.j., et
Y. Saint-Arnaud, s.j., **1.50**

Drogues, J. Durocher, **2.00**

Egalité ou indépendance, D. Johnson, **2.00**

F.L.Q. 70: OFFENSIVE D'AUTOMNE,
J.-C. Trait, **3.00**

La Bourse, A. Lambert, **3.00**

La cruauté mentale, seule cause du
divorce?, Dr Y. Léger et
P.-A. Champagne, avocat, **2.50**

La loi et vos droits,
P.-E. Marchand, avocat, **4.00**

La nationalisation de l'électricité,
P. Sauriol, **1.00**

La prostitution à Montréal, T. Limoges, **1.50**

La rage des goof-balls,
A. Stanké et M.-J. Beaudoin, **1.00**

Le budget, En collaboration, **3.00**

L'Etat du Québec, En collaboration, **1.00**

L'étiquette du mariage, M. Fortin-Jacques
et J St-Denys-Farley, **2.50**

Le guide de la finance, B. Pharand, **2.50**

Le savoir-vivre, N. Germain, **2.50**

Le savoir-vivre d'aujourd'hui,
M. Fortin-Jacques, **2.00**

Le scandale des écoles séparées en
Ontario, J. Costisella, **1.00**

Le terrorisme québécois, Dr G. Morf, **3.00**

Les bien-pensants, P. Berton, **2.50**

Les confidences d'un commissaire d'école,
G. Filion, **1**.00

Les hippies, En collaboration, **3**.00

Les insolences du Frère Untel,
Frère Untel, **1**.50

Les parents face à l'année scolaire,
En collaboration, **2**.00

Option Québec, R. Lévesque, **2**.00

Scandale à Bordeaux, J. Hébert, **1**.00

Ti-Blanc, mouton noir, R. Laplante, **2**.00

Une femme face à la Confédération,
M.B. Fontaine, **1**.50

Vive le Québec Libre!, Dupras, **1**.00

VIE QUOTIDIENNE ● SCIENCES APPLIQUEES

Aérobix, Dr P. Gravel, **2**.00

Apprenez à connaître vos médicaments,
R. Poitevin, **3**.00

Conseils aux inventeurs, R.-A. Robic, **1**.50

Ce qu'en pense le notaire,
Me A. Senay, **2**.00

Comment prévoir le temps, Eric Neal, **1**.00

Couture et tricot, En collaboration, **2**.00

Cuisine française pour Canadiens,
R. Montigny, **3**.00

Embellissez votre corps, J. Ghedin, **1**.50

Embellissez votre visage, J. Ghedin, **1**.50

En cuisinant de 5 à 6, Juliette Huot, **2**.00

Encyclopédie des antiquités du Québec,
M. Lessard et H. Marquis, **6**.00

Encyclopédie du jardinier horticulteur
W. H. Perron, **6**.00

Exercices pour rester jeune, T. Sekely, **2**.00

Fondues et flambées de maman Lapointe,
S. Lapointe, **2**.00

L'art de vivre en bonne santé,
Dr W. Leblond, **3**.00

La cellulite, Dr G.-J. Léonard, **3**.00

Le charme féminin, D. M. Parisien, **2**.00

La chirurgie plastique esthétique,
Dr A. Genest, **2**.00

La conquête de l'espace, J. Lebrun, **5**.00

La cuisine canadienne avec la farine
Robin Hood, **2**.00

La cuisine chinoise, L. Gervais, **2**.00

La cuisine de Maman Lapointe,
S. Lapointe, **2**.00

La cuisine en plein air,
H. Doucet-Leduc, **2**.00

La cuisine italienne, Tommy Tomasso, **2**.00

La dactylographie, W. Lebel, **2**.00

La décoration intérieure, J. Monette, **3**.00

La femme après 30 ans, N. Germain, **2**.50

La femme émancipée,
N. Germain et L. Desjardins, **2**.00

La médecine est malade, Dr L. Joubert, **1**.00

La météo, A. Ouellet, **3**.00

La retraite, D. Simard **2**.00

La/Le secrétaire bilingue, W. Lebel, **2**.50

La sécurité aquatique, J.-C. Lindsay, **1**.50

Leçons de beauté, E. Serei, **2**.50

Le guide complet de la couture,
L. Chartier, **3**.50

Le Vin, P. Pétel, **3**.00

Les Cocktails de Jacques Normand,
Jacques Normand, **2**.00

Les grands chefs de Montréal et leurs
recettes, A. Robitaille, **1**.50

Les greffes du coeur, En collaboration, **2**.00

Les médecins, l'Etat et vous,
Dr R. Robillard, **2**.00

Les recettes à la bière des grandes
cuisines Molson, M.-L. Beaulieu, **2**.00

Les recettes de Maman Lapointe,
S. Lapointe, **2**.00

Les soupes, C. Marécat, **2**.00

Madame reçoit, H. Doucet-LaRoche, **2**.50

Mangez bien et rajeunissez, R. Barbeau, **2**.00

Médecine d'aujourd'hui,
Me A. Flamand, **1**.00

Poids et mesures, L. Stanké, **1**.50

Pourquoi et comment cesser de fumer,
A. Stanké, **1**.00

Recettes « au blender », J. Huot, **3**.00

Regards sur l'Expo, R. Grenier, **1**.50

Régimes pour maigrir, M.-J. Beaudoin, **2**.50

Savoir se maquiller, J. Ghedin, **1**.50

Soignez votre personnalité, Messieurs,
E. Serei, **2**.00

Tenir maison, F. Gaudet-Smet, **2**.00

36-24-36, A. Coutu, **2**.50

Tous les secrets de l'alimentation,
M.-J. Beaudoin, **2**.50

Vins, cocktails, spiritueux, G. Cloutier, **2**.00

Vos cheveux, J. Ghédin, **2**.50

Vos dents, Drs Guy Déom et
P. Archambault, **2**.00

Vos vedettes et leurs recettes,
G. Dufour et G. Poirier, **3**.00

SPORTS

La natation, M. Mann, 2.50

La pêche au Québec, M. Chamberland, 3.00

Le baseball, En collaboration, 2.50

Le football, En collaboration, 2.50

Le golf, J. Huot, 2.00

Le ski, En collaboration, 2.50

Le tennis, W.-F. Talbert, 2.50

Les armes de chasse, Y. Jarretie, 2.00

Monsieur Hockey, G. Gosselin, 1.00

Tous les secrets de la chasse,
M. Chamberland, 1.50

Tous les secrets de la pêche,
M. Chamberland, 2.00

TRAVAIL INTELLECTUEL

Dictionnaire de la loi, R. Millet, 2.00

Dictionnaire des affaires, W. Lebel, 2.00

Dictionnaire en 5 langues, L. Stanké, 2.00

PUBLICATIONS RÉCENTES OU À PARAÎTRE PROCHAINEMENT

En attendant mon enfant,
Y.P. Marchesseault

Pour entretenir la flamme, T.L. Rampa

Les Rêves, L. Stanké

Ouvrages parus a L'ACTUELLE

Aaron, Y. Thériault, 2.50

Agaguk, Y. Thériault, 3.00

Carré Saint-Louis, J.-J. Richard, 3.00

Crimes à la glace, P.-S. Fournier, 1.00

Cul-de-sac, Y. Thériault, 3.00

Danka, M. Godin, 3.00

D'un mur à l'autre, P.-A. Bibeau, 2.50

Et puis tout est silence, C. Jasmin, 3.00

Feuilles de thym et fleurs d'amour,
M. Jacob, 1.00

La fille laide, Y. Thériault, 3.00

Le Bois pourri, A. Maillet, 2.50

Le dernier havre, Y. Thériault, 2.50

Le domaine Cassaubon (prix de l'Actuelle
1971), G. Langlois, 3.00

Le dompteur d'ours, Y. Thériault, 2.50

Le jeu des saisons,
M. Ouellette-Michalska, 2.50

Les demi-civilisés, J.-C. Harvey, 3.00

Les visages de l'enfance, D. Blondeau, 3.00

L'Outaragasipi, C. Jasmin, 3.00

Mourir en automne, C. DeCotret, 2.50

N'Tsuk, Y Thériault, 2.00

Tayaout, fils d'Agaguk, Y. Thériault, 2.50